_____, desejo que você faça um bom uso do conhecimento adquirido e que presenteie outra pessoa, assim que possível, com os mesmos segredos!

O LIVRO SECRETO DA CARREIRA

PAULA BOARIN

AQUILO QUE NÃO TE CONTARAM, MAS VOCÊ DEVERIA SABER

Diretor-presidente:
Jorge Yunes
Gerente editorial:
Cláudio Varela
Editora:
Ivânia Valim
Assistente editorial:
Isadora Theodoro Rodrigues
Suporte editorial:
Nádila Sousa, Fabiana Signorini
Coordenadora de arte:
Juliana Ida
Gerente de marketing:
Renata Bueno
Analistas de marketing:
Anna Nery, Juliane Cardoso, Daniel Moraes, Marcos Meneghel
Estagiária de marketing:
Mariana Iazzetti
Direitos autorais:
Leila Andrade
Coordenadora comercial:
Vivian Pessoa

O livro secreto da carreira
© 2023, Companhia Editora Nacional
© 2023, Paula Boarin

Todos os direitos reservados. Nenhuma parte desta obra pode ser reproduzida ou transmitida por qualquer forma ou meio eletrônico, inclusive fotocópia, gravação ou sistema de armazenagem e recuperação de informação sem o prévio e expresso consentimento da editora.

1ª edição — São Paulo
1ª reimpressão

Preparação de texto:
Augusto Iriarte
Revisão:
Daniel Safadi, Giselle Moura
Diagramação:
Valquíria Chagas
Ilustrações:
Shutterstock
Imagem de capa:
Paula Boarin (acervo pessoal)

DADOS INTERNACIONAIS DE CATALOGAÇÃO NA PUBLICAÇÃO (CIP)
DE ACORDO COM ISBD

```
B6621    Boarin, Paula
            O livro secreto da carreira: aquilo que não te contaram mas você
         deveria saber / Paula Boarin. - São Paulo, SP : Editora Nacional, 2023.
            184 p. ; 15,7cm x 23cm.

            ISBN: 978-65-5381-166-4
            1. Autoajuda. 2. Carreira. I. Título.

2023-1525                                                          CDD158.1
                                                                   CDU 159.947
```

Elaborado por Odilio Hilario Moreira Junior - CRB-8/9949

Índice para catálogo sistemático:
1. Autoajuda 158.1
2. Autoajuda 159.947

NACIONAL

Rua Gomes de Carvalho, 1306 - 11º andar – Vila Olímpia
São Paulo - SP - 04547-005 - Brasil - Tel.: (11) 2799-7799
editoranacional.com.br - atendimento@grupoibep.com.br

Agradeço a Ana Laura Lobo, minha agente literária,
por intermediar esse sonho.

Minha família e amigos, por estarem ao meu lado
nos momentos mais desafiadores.

Meus clientes e membros do *Squad*, por serem
inspiração diária para o meu trabalho.

SUMÁRIO

Prefácio — 9

Introdução: o tempo certo para a nossa carreira — 13

1. Saia dessa torre! — 21
2. Carreira começa em casa — 29
3. Empresa não é família... — 43
4. Quem não lê cenário, dança! — 55
5. Conversas (nem tão) difíceis — 75
6. Estabelecendo os seus limites... — 87
7. Feedback é mesmo um presente? — 103
8. Não romantize a sua gestão — 115
9. Por que a pessoa promovida não foi você? — 127
10. Não basta entregar, tem que cacarejar! — 141
11. A demissão veio, e agora? — 155
12. Plano B: o futuro é trabalho, não emprego — 165

Não acaba por aqui... — 177

PREFÁCIO

A carreira como uma estrada linear, ao modo que era encarada até vinte anos atrás, chegou ao fim. As relações de produção e de trabalho mudaram, e mudam, exponencialmente. Se antes os profissionais percorriam carreiras como se fossem mapas estáticos, hoje o que mais ouvem é "recalculando a rota", dito pelo "Waze" embarcado no próprio cérebro.

O protagonismo agora é do próprio profissional, que tem que cuidar da sua carreira e do seu desenvolvimento. Para isso, não basta correr para uma nova graduação, fazer qualquer MBA e simplesmente contar que a formação lhe dará passe livre para o mercado.

O maior desafio dos profissionais é descobrir qual é o seu bloqueador de carreira e se concentrar nele, antes de sair fazendo cursos a torto e a direito. É necessário priorizar o que importa!

No *The Future of Jobs Report* de 2023, o Fórum Econômico Mundial aponta que 23% dos postos de trabalho passarão por transformações significativas nos próximos cinco anos. Ao passo que algumas posições tendem a desaparecer, outras têm se modificado ou surgido graças à automação e aos avanços tecnológicos.

À medida que a demanda por habilidades técnicas e operacionais diminui, avança a procura por pessoas com habilidades como criatividade, empatia, capacidade de liderar. *Soft skills*, *social skills* (ou, como prefiro chamá-las, as *people skills*) e o *lifelong learning* agora são vitais.

Existe ainda outro desafio. Hoje, apenas um terço dos cargos de liderança no Brasil são ocupados por mulheres, enquanto a média global gira em torno de 24%. Mesmo que o número nacional seja maior que o global, essa ainda é uma realidade a ser enfrentada. Não basta *falar* da importância de haver mais mulheres em posições de liderança; é preciso *entender* a importância disso. Em um cenário cada vez mais complexo, competitivo e ágil, ter pessoas diversas, que tragam diferentes prismas e experiências, é fundamental. E não faltam pessoas que caibam nessa descrição.

É nessa toada que se encontra o trabalho de Paula Boarin. Ao mesmo tempo em que atua como mentora de carreira, ela age como *facilitadora*, no sentido quase literal da palavra. Ao falar de temas que podem ser espinhosos, mas com senso de humor e de maneira acessível, ela faz com que a tentativa de encontrar o seu lugar ao sol (em um mundo que pode ser tão nebuloso) fique mais fácil.

Muitos tendem a achar que fazer mentoria é um processo formal e, ao mesmo tempo, mágico, em que alguém supertalentoso vai abrir a caixa-preta do sucesso. Um equívoco. Esse processo começa ao entendermos que aprender com a experiência de alguém tem um potencial de aprendizado muito maior do que aprender sozinho ou por tentativa e erro. Espelhar-se em alguém pode acelerar o processo de desenvolvimento.

Não há receita para alcançar bons resultados. Mas existe a possibilidade de construir uma trajetória de aprendizado contínuo, de autoconhecimento, de bons hábitos e de ousadia. Outro passo importante é encontrar bons mentores, pessoas em quem se inspirar para obter resultados excelentes.

Ricardo Basaglia
Autor do best-seller *Lugar de potência*
CEO, headhunter e mentor de carreira

INTRODUÇÃO

O TEMPO CERTO PARA A NOSSA CARREIRA
* * *

O material que preparei para você reúne tudo o que aprendi ao longo dos anos – e lá se vão mais de oito –, trabalhando especificamente com a carreira de outras pessoas.

Para que este livro cumpra o propósito de mudar a sua carreira, precisamos começar falando do seu tempo ou da sua perspectiva sobre o tempo. A grande maioria das pessoas com quem convivo no trabalho, sejam colegas, mentorados ou alunos, passa boa parte da vida profissional falando sobre ele. "Ah, já sou velho demais para isso"; "Se eu fosse mais novo, tentaria outra carreira"; "Tenho medo de não ter tempo de mostrar o meu trabalho"; "Estou há cinco anos nessa função e nada de ser promovido"; "Perdi tempo demais com isso ou aquilo"; "Estou decepcionado porque pensei que nessa idade eu já seria tal coisa"; "Não tenho tempo para nada, me sinto tão cansado", e por aí vai...

Você já notou isso?

A nossa vida profissional inteira é baseada no tempo de algo ou alguém, no nosso, no do outro ou no comparativo injusto que costumamos fazer do nosso tempo com o tempo do outro.

Sim, é uma conversa pra lá de filosófica, coisa que eu adoro, e se você me acompanha, já sabe que, se deixar, fico páginas e páginas falando sobre esses grandes questionamentos e dilemas da vida (profissional). A verdade é que é preciso tempo para pensar...

OS SEGREDOS REVELADOS NESTE LIVRO NÃO DEVEM SER GUARDADOS. COMPARTILHE-OS SEMPRE QUE POSSÍVEL.

Já que estou falando de tempo, quero usar este momento para dar o tom da nossa jornada por aqui: ela vai se dar como se fôssemos amigos tomando um cafezinho e refletindo sobre pontos importantes da sua carreira. Haverá momentos em que a leitura vai fluir rápido e outros em que será mais lenta. Sabe quando precisamos parar para digerir algo? Sentir? Isso provavelmente vai acontecer, e espero que você se sinta à vontade para se permitir olhar sob outra perspectiva para o seu trabalho, o seu modo de se comportar e a sua carreira. É com um olhar mais atento – e crítico, talvez – que você vai encontrar algumas das respostas que tanto busca.

Quando o assunto é carreira, é possível encontrar um caminho para tudo, eu garanto. Não importam a sua situação atual, os erros do passado, as escolhas ruins, as decisões equivocadas – tudo isso são apenas histórias para contar e aprendizados para compartilhar. O passado na carreira só tem importância na medida em que se converte em lugar de referência e busca, mas não é nele que devemos permanecer. O que passou, passou.

Sei que costumamos pensar também que há um jeito certo e um jeito errado de viver o tempo da carreira. Mas certo e errado nesse contexto são conceitos subjetivos, sabe? O que é certo e o que é errado depende de quem julga, das expectativas, dos objetivos, dos conhecimentos e das condições no momento da escolha. Por isso, prefiro que adotemos outro olhar na nossa caminhada juntos.

Digo isso porque imagino que, em alguns momentos, você lerá algo que o fará pensar que "errou" na condução da sua carreira. E, se você for alguém muito exigente consigo mesmo, vai se castigar ou sentir culpa por não ter aproveitado o tempo tão bem quanto poderia. Não faça isso. A jornada não precisa de nenhum peso extra. Culpa é um sentimento que impede o progresso. A responsabilidade, ao contrário, nos faz agir para corrigir o que for preciso, enfrentar e seguir adiante. É com responsabilidade que construímos uma carreira.

E construir uma carreira leva tempo. Um tempo que muitas vezes não queremos esperar. Queremos tudo para ontem. Por vezes, parecemos querer começar do final, tamanha a ansiedade para chegar lá. Seria culpa da internet, das redes sociais? Ou do nosso hábito de consumir histórias, livros, filmes, podcasts sobre os "vencedores"? Aqueles que são a exceção, e não a regra? Talvez, né? Por vezes, isso também nos faz sentir que certos reveses e situações só acontecem com a gente. Neste livro, você perceberá que não está sozinho, a maioria passa por momentos difíceis na carreira, a gente só não fica sabendo...

Anos atrás, ouvi de um professor uma descrição perfeita sobre a relação entre o tempo e o trabalho. Ele disse: "Você dá as horas úteis do seu dia, o filé-mignon da sua vida para o trabalho, por isso precisa valer a pena". Essa frase é forte. Você já se perguntou o que é um trabalho que vale a pena para você?

> **Não tenha pressa, mas não perca tempo.**
> (José Saramago)

Quando falamos sobre tempo e carreira, talvez o mais importante a entender seja: **cada um tem o seu**. E o tempo de cada um é o certo, pois é o tempo **possível**. Nem ideal, nem perfeito: **possível**.

Por fim, preciso dizer: nada me fascina mais do que a ideia de que grandes transformações são feitas de passinho em passinho. Como boa capricorniana que sou (meu lado místico gritou aqui, desculpe), em vez de rompantes, acredito na consistência.

Ao longo da nossa jornada, vou propor reflexões e exercícios e tenho certeza de que, ao final, se você assumir esse compromisso, muita coisa será diferente.

Você só precisa dar um passo por dia.

SEGREDO REVELADO: o seu tempo é o tempo certo. Nem ideal, nem perfeito: possível.

SAIA DESSA TORRE!
***

Fique tranquilo, ninguém vai te salvar!

Não importa em qual estágio da carreira você está. Neste momento, estou considerando que nem tudo tem saído como você deseja e que às vezes as coisas chegam até a fugir do seu controle. Que frequentemente você se vê perdido e sem saber o que fazer e, pior, nem sabe dizer de onde vem a sensação de estar envolvido com problemas no trabalho, preso numa torre, sem saída.

O reconhecimento é baixo, as pessoas são difíceis (algumas até intimidam você), o seu gestor não é nem de longe o ideal – não representa o líder que você imaginava, não o desenvolve nem se compromete em lutar para que você tenha chances na carreira. Você não concorda com muitas coisas, se sente sobrecarregado com outras, engole sapos, evita criar caso; o sentimento de injustiça é grande, afinal, por mais que você faça tudo certo, sempre colabore, diga sim, parece que sempre é outra pessoa que recebe o reconhecimento. As promoções prometidas nunca saíram do papel. Não é raro você se perguntar: "Por que as coisas têm que ser tão difíceis para mim?".

Você está exausto, não suporta mais lidar com a empresa, com as pessoas, tudo o que engoliu está a ponto de extravasar. Depois de tantas frustrações, você decide arriscar e mudar de emprego. Você não gostaria de tomar essa decisão, mas acredita ser a única chance de crescer. Você conseguiu a nova vaga e, mesmo com medo, mudou de emprego. Cumpre aviso, faz tudo certo para não queimar a sua imagem no antigo trabalho. E então, sem nem uma semana de descanso, começa no novo. A empolgação é tanta que nem sequer percebe o cansaço. O seu foco é dar o melhor, dar tudo de si e mostrar a que veio, não desperdiçar a nova oportunidade.

Encantado com a nova empresa, qualquer coisa vira motivo de comparação com o seu passado. No novo trabalho, as coisas funcionam, você tem espaço para crescer e mostrar a sua competência. Tudo é uma maravilha: regras estabelecidas, pessoas animadas e felizes, remuneração justa. Você se empolga cada vez mais, faz horas extras, entrega sempre mais do que pedem – como sempre fez, porém até então não era reconhecido. Um funcionário exemplar. Tudo parece ser diferente, finalmente.

Até a página dois. Ou, em outras palavras, até passar a lua de mel.

Passada a empolgação inicial, nem tudo parece ser tão lindo-maravilhoso-incrível-diferente. Tudo mudou, mas tudo continua igual. Passam-se dois, três meses, e você já não tem o mesmo entusiasmo. Parece que os problemas se repetem, só que de forma diferente... Você escolheu essa empresa por ser mais "humana", mas começa a perceber que, por trás da atmosfera fofa, existe uma competitividade entre as pessoas e áreas que você não estava esperando, um gestor exigente com as entregas, um ritmo alucinante. A nova empresa é daquelas que os empregados costumam traduzir como: "Um lugar onde dois meses equivalem a dois anos". O notebook está sempre com você, o celular particular está tomado de grupos do WhatsApp que apitam de minuto a minuto e, apesar das práticas modernas de gestão de pessoas e da *vibe* mais legal, você se vê repetindo as situações das empresas anteriores.

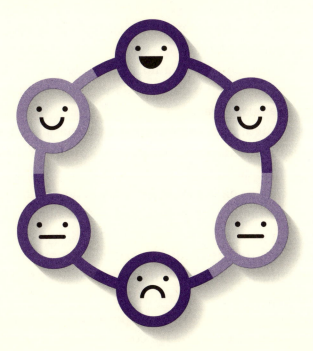

Mais uma vez, você passa a se sentir vítima de um sistema opressor, em que tem zero controle. Vê-se dançando conforme a música, calando, aguentando, aguardando que a mudança venha até você. Será que vem? É o que você sempre se pergunta. Você não se sente confiante, não sabe como fazer para ter a mudança que tanto espera...

Posso sentir a sua tensão ao ler os parágrafos anteriores, e isso porque já me vi no lugar em que você está agora. O que posso dizer, com certa tranquilidade, é: calma, as coisas não estão perdidas e você não precisa ficar nesse lugar (simbólico) para sempre. Contudo, para sair dele, precisa querer e, antes de tudo, reconhecer-se nele, enxergar-se preso na torre.

Quem, afinal, é a princesa presa na torre?

A **princesa presa na torre** é um personagem corporativo (inspirado na vida real). E, embora o nome esteja no feminino, não necessariamente se refere a mulheres ou a pessoas que se identificam com o gênero feminino, mas sim a um comportamento e a uma série de características. Todos nós, independentemente do gênero, podemos estar presos numa torre quando o assunto é trabalho, esperando que alguém nos resgate, nos salve daquilo que está dando errado e que de alguma maneira nos ameaça.

Pense comigo: como são as princesas clássicas das histórias infantis? Boazinhas, românticas, dóceis, feitas para agradar, sempre dispostas a servir, não dizem não, são ingênuas a ponto de se expor a um lobo nitidamente mal-intencionado e costumam ser enganadas – seja por uma maçã envenenada, por uma madrasta malvada ou pela roca de um tear. O sofrimento constitui boa parte de suas trajetórias, cujo ponto alto se resume a um príncipe que as salva. Fim. Acabou a história.

Perceba que são narrativas em que a princesa pouco confronta, questiona, ousa, é quase como se fosse o seu destino servir, sofrer e aguardar. Talvez você esteja pensando que não existem profissionais com essas características, mas existem sim, eu mesma fui uma princesa presa na torre.

Um tanto ingênua, eu não falava o que era importante, me ressentia das injustiças, não confrontava, pouco me expunha, ficava presa a um ideal e, acima de tudo, alimentava o pensamento mágico de que bastava mudar de empresa para que "tudo fosse diferente". Que nada! Lógico que isso era impossível. Como tudo poderia ser diferente se eu era igual?

> **Aonde quer que você vá, é você que está lá.**
> (Jon Kabat-Zinn)

Talvez você estranhe o fato de eu responsabilizar uma profissional tão boa como a princesa. Afinal, qual é o pecado dela? Confiar? Esperar uma gestão bacana? Um ambiente harmônico? Reconhecimento pelo seu trabalho? Uma empresa equilibrada? É por isso que ela não recebe o que merece? A culpa é dela? Não é bem isso... Aqui não estamos falando de culpa. Acontece que a vida real não é um conto de fadas (e precisamos concordar que mesmo esses possuem partes bem sombrias).

A vida real pede de nós, profissionais, outra postura, uma que eu chamo de "pró", proativa, a postura de um profissional que negocia, que se coloca; essa postura está muito longe da postura da princesa, indefesa, insegura e passiva. A postura pró é a postura de quem entende que, na carreira, ele representa a si mesmo – nem empresa, nem chefe, nem RH vão defender melhor do que nós os interesses da nossa própria carreira. O bom senso, o óbvio são conceitos subjetivos e relativos que não existem se não forem comunicados. Na vida real, é preciso falar, perguntar, se posicionar, cobrar.

Se a carreira é sua, se o interesse é seu, quem faz o movimento é você.

Se ninguém te apresenta na empresa, você se apresenta. Se o chefe não dá feedback, você pede. Se a promoção não vem, você pergunta sobre ela. Se não te ensinam, você vai atrás de aprender. Autonomia é a palavra aqui. Como falei, ninguém vai te salvar, você precisa se resgatar da torre.

Outro ponto da analogia da princesa clássica sobre o qual vale refletir é o "plano de carreira" dela, resumido ao príncipe, uma vez que o ponto alto da história é o casamento, que lhe confere a "promoção" ao posto de rainha. Mas e na vida real? A solução da sua carreira não virá montada em um cavalo branco, você precisará construí-la passo a passo.

A maioria de nós já esteve no papel da princesa presa na torre. Talvez você ainda esteja. Você verá, ao longo deste livro, que a conscientização é o primeiro passo para a mudança, e que o segundo é agir diferente. Sabendo que, na vida real, a postura de esperar pouco adianta, um bom começo é ter a clareza de que é preciso assumir a postura "pró".

Resgatar a si mesmo da torre.

> Reflita agora:
> você é do tipo que idealiza as relações de trabalho? Que se cala quando alguém age de uma forma inadequada com você? Que deixa passar acordos e combinados por se manter na posição de espera? Você tem medo de se posicionar e ser malvisto? Quais posturas você agora percebe que precisa mudar?

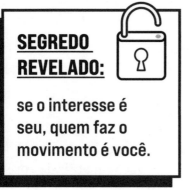

SEGREDO REVELADO: se o interesse é seu, quem faz o movimento é você.

2

CARREIRA COMEÇA EM CASA
* * *

Eu sei que o que vou dizer aqui pode não fazer muito sentido num primeiro momento. **A sua carreira começa em casa**. Sim, foi isso mesmo que você leu. As experiências vividas na infância, as formas de se relacionar aprendidas com os seus pais e com as pessoas próximas, as suas referências, tudo isso exerce uma influência enorme no modo como você se comporta no trabalho. Maior do que você imagina.

Pare e reflita sobre as seguintes perguntas: você se sentia reconhecido por seus pais? Sentia confiança nas figuras de autoridade (pais ou cuidadores)? Tinha autorização para expressar suas necessidades e emoções? Como era a relação com os irmãos, era de parceria ou de concorrência? Quando havia algum conflito em sua família, ele era resolvido? De que forma? Era permitido falar sobre ele ou tudo era varrido para debaixo do tapete? E os seus nãos e limites, eles eram ouvidos e respeitados? Você se sentia à vontade para expressá-los?

Espero que, analisando suas próprias respostas, você perceba que muitas das suas questões e inseguranças profissionais não nasceram no trabalho, mas na vida fora dele. Por isso, costumo dizer que o buraco é mais embaixo. Um bom exemplo é a pessoa que não consegue dizer não para um chefe ou um colega; geralmente, essa pessoa costuma não dizer não na vida pessoal.

É NA CAVERNA EM QUE VOCÊ TEM MEDO DE ENTRAR QUE ESTÁ O TESOURO QUE VOCÊ PROCURA. (JOSEPH CAMPBELL)

Talvez a diferença esteja no fato de que, na vida pessoal, é mais fácil nos esquivarmos de certas questões, enquanto o trabalho muitas vezes não nos dá essa opção, ele nos obriga a enfrentá-las.

O fenômeno que acabei de descrever não é novidade para a psicanálise. Para Sigmund Freud, temos a tendência a reproduzir na vida e no trabalho os padrões de relacionamento aprendidos em casa, principalmente os ligados às figuras parentais (pai, mãe, pessoa que cuida). A psicanálise também diz que podemos transferir do passado para o presente nossos sentimentos em relação a algumas figuras, influenciando nossa percepção do outro. Por essa razão, tomar consciência de como era a sua vida na infância, dos sentimentos que você nutria e da dinâmica de interação dentro de sua casa pode explicar muitas das suas questões na empresa em que trabalha.

Existem vários exemplos que ilustram essa influência do passado no presente. Quem não conhece um profissional que briga com todos os chefes? Ou que nunca se sente reconhecido no trabalho (eu chamo esse profissional de faminto por reconhecimento)? Se investigarmos um pouquinho esses padrões de comportamento (e por isso admiro tanto o trabalho dos meus colegas psicólogos e psicanalistas), perceberemos que são antigos e que muitas das relações atuais são carregadas de expectativas e projeções que vêm do passado.

Pude perceber, na minha própria história e na de tantos profissionais que acompanhei, que frequentemente buscamos compensar no trabalho as nossas carências mais profundas, o que nos faz, de forma inconsciente, cobrar de quem não nos deve. Vou compartilhar uma história pessoal. Busquei meu pai ausente (falecido quando eu tinha 2 anos) em todas as relações hierárquicas que mantive: com professores, chefes e até mesmo com o meu marido (sei que esta não é uma relação de hierarquia, mas considere que, na infância, eu absorvi a ideia de que o príncipe salva a princesa; não me julgue, não fui a única a cair nesse conto, e você já sabia do meu histórico Disney pela história da princesa presa na torre).

Eu vivia buscando preencher essa enorme lacuna... e o resultado quase sempre era catastrófico. Sentia que, mesmo recebendo o máximo dessas relações, nada era suficiente para suprir as minhas altas expectativas, as minhas exigências. Não tinha como um chefe, um professor ou um marido ocupar esse lugar – pois não era o lugar deles. A terapia e outros processos me ajudaram muito a ressignificar essa ausência e a desenvolver relações mais focadas no presente e com expectativas mais alinhadas à realidade.

Mas não é só isso.

O FAMINTO POR RECONHECIMENTO

Nada do que eu faço é suficiente para ser reconhecido.

Muitos clientes que passaram por mentoria comigo se encaixavam nesse perfil – que, assim como a princesa presa na torre, é um personagem corporativo construído com base na observação. Geralmente, são profissionais extremamente competentes, com muita experiência, um currículo acadêmico cheio de cursos e capacitações, mas que, apesar disso, não se sentem reconhecidos ou suficientes. Eles costumam pensar: "Será que eu realmente sou tudo isso?"; "Será que eu não deveria fazer mais?"; "Só vou ser feliz quando alcançar tal coisa". Com isso, quase sempre vivem no futuro, na expectativa do que virá, como se a única coisa capaz de preenchê-los fosse uma próxima conquista.

O faminto por reconhecimento é um workaholic e atua quase como um viciado em obter reconhecimento. Ele está sempre correndo atrás de novas conquistas, estipulando metas cada vez mais audaciosas, não descansa, não relaxa, não celebra, apenas luta, luta e luta e, quando tem a chance de desfrutar do que conquistou, interrompe o ciclo, quase como uma autossabotagem. Passa a impressão de que, apesar de ser, não se sente, logo não se permite.

ATÉ VOCÊ SE TORNAR CONSCIENTE, O INCONSCIENTE DIRIGIRÁ A SUA VIDA E VOCÊ O CHAMARÁ DE DESTINO. (CARL JUNG)

Na maioria dos casos desse tipo que mentorei, conforme os clientes traziam detalhes da vida além do trabalho, era possível perceber que algo do passado influenciava seu comportamento presente. Muitos deles não tinham a figura do pai presente. Ou tinham um pai que, mesmo presente, se fazia ausente, fosse por falta de participação ou de reconhecimento. Havia também os que relatavam histórias de pais exigentes, que cresceram ouvindo coisas como: "Tirou 9,5? Por que não tirou 10?"; "Tirou 10? Não fez mais do que a sua obrigação, afinal você só estuda".

Ainda tinha aqueles que viveram um passado difícil, de escassez, falta de segurança, instabilidade, e que pareciam ter feito uma promessa não consciente de nunca mais passar por isso. Para esses, o trabalho representava segurança. Outros tinham tido um passado de bullying, de fragilização da autoestima e, portanto, o trabalho era, acima de tudo, um lugar social de prestígio e valorização.

Independentemente do motivo, para esses clientes, o trabalho parecia ser o lugar que curava as dores, que preenchia vazios. Para esse grupo, muito mais do que sustento, o trabalho representa reconhecimento, autoestima, segurança, socialização, sendo, de fato, o centro de suas vidas. Não era raro ouvir desses profissionais: "Meu trabalho é tudo para mim!".

> Se você se identifica com o faminto por reconhecimento, tente responder: quando foi que começou a não se sentir valorizado?
>
> _____
>
> _____
>
> _____
>
> _____

Tomar consciência, como já sabemos, é o primeiro passo para a mudança – quando entendemos o que gerou determinado comportamento nosso, algo se pacifica dentro de nós. Depois, é preciso atualizar o *software* mental ou ressignificar a própria historia com a terapia, isto é, atualizar a autoimagem, mudar a ótica e se perceber como adulto, capaz, competente, reconhecido (não pelo outro, mas por si próprio). Para ter a chance de construir uma carreira saudável, a criança ferida que você foi precisa encontrar acolhimento no adulto que você é.

Ainda para os famintos por reconhecimento, duas dicas podem ser bastante úteis:

- **Celebre as suas conquistas.** Por menores que elas sejam, não deixe de comemorar. Conseguiu entregar um trabalho difícil? Celebre. Recebeu um elogio do chefe? Festeje. Celebrar é sentir, é valorizar a jornada, é dar certa graça para a vida e, principalmente, criar um novo padrão para você.
- **Expanda a vida para além do trabalho.** Você é muito mais do que o seu trabalho. Cuide de si, tenha um *hobby*, saia com amigos, vá ao cinema, pratique um esporte, tenha momentos com

a sua família, tire férias (e não trabalhe nelas). Viva além do seu trabalho. Quando damos tudo para o trabalho, corremos o risco de ficar sem nada na vida. Isso porque, quando não existem outros pilares, se o trabalho estiver mal, tudo estará mal. Se não guardamos todo o dinheiro em um único lugar porque sabemos que é arriscado, por que colocaríamos toda a nossa vida em uma única área? Não faz sentido, não é?

A FACILIDADE DE TER REFERÊNCIAS

Quando falo que a carreira começa em casa, também estou falando de referências profissionais, o que é algo que pode ter faltado para o faminto por reconhecimento, mas não somente para ele. A verdade é que a maioria de nós não se dá conta de como o caminho profissional pode ser facilitado se temos pessoas próximas nas quais nos espelhar.

Para ilustrar o que quero dizer, vou contar a história de dois profissionais, João e Bia.

João é um jovem de classe média, seus pais são formados na universidade, a mãe trabalha em uma grande empresa, o pai é empreendedor. João tem muitos familiares que atuam em posições de destaque e conhece diversas pessoas que estudaram ou trabalharam no exterior. Seus primos e seu irmão falam outras línguas, o inglês é considerado praticamente um pré-requisito na família. Ele teve acesso aos mais variados bens culturais e rodas sociais relevantes. Assim, desenvolveu um traquejo social, ou seja, um repertório do que falar, de como se portar, do que vestir nos mais diversos lugares. João entrou em uma universidade aos 18 anos, fez um intercâmbio no último ano de curso e, ao retornar, ingressou no programa de *trainee* de uma multinacional. Seu crescimento foi rápido, já que seu inglês era muito bom, e as oportunidades continuaram surgindo. Aos 24 anos, João é coordenador de uma equipe formada por oito pessoas. Sente-se preparado para os desafios e já avisou a empresa que, se não houver oportunidades para o seu perfil em breve, ele sairá em busca de vagas no mercado.

Bia nasceu na periferia. Seu pai vive de bicos e separou-se da mãe quando a filha ainda era pequena. Ela teve pouco contato com o pai, que hoje tem outra família. A mãe de Bia sempre trabalhou como doméstica. Seu irmão mais velho não finalizou o ensino médio; por ter se tornado pai ainda muito jovem, priorizou o trabalho. Bia ajuda a mãe com as contas da casa e por vezes precisa ajudar também a sobrinha; ela trabalha formalmente desde os 16 anos, começou como aprendiz e tornou-se secretária em um consultório odontológico. Aos 22 anos, conseguiu uma bolsa de estudos em administração. Uma professora que acreditava em seu potencial a indicou para uma vaga de estágio na mesma empresa em que João trabalha. Bia não acreditou na própria sorte! Essa empresa pagava pelo estágio mais do que ela ganhava como secretária. Apesar de todas as dificuldades, Bia se formou! No dia da formatura, seu pai não compareceu. A verdade era que, quando Bia começara a estudar, ele não a incentivara, sempre dizia que Bia era muito sonhadora... No momento de pegar o diploma, Bia estava acompanhada da mãe, do irmão, da sobrinha, da avó e de uma tia próxima. Nenhum deles tinha se formado. Ela era a primeira da família. Bia se dedicou muito ao trabalho, trabalhou duas vezes mais do que os colegas para provar que merecia aquele lugar e que valia apostar nela como mulher, que ela daria conta, até finalmente ser promovida a analista júnior, aos 26 anos. Com um *mix* de ansiedade, medo, insegurança e certo sentimento de sorte por ter sido promovida, ela começa a pensar que talvez não seja reconhecida na mesma proporção do seu esforço. Quando esses pensamentos aparecem, porém, ela logo os afasta, afinal "ganha bem e trabalha em uma empresa boa" e, acima de tudo, com o salário novo, poderá ajudar a mãe a terminar a construção da casa.

QUAL É O MEU LUGAR? E ATÉ ONDE EU POSSO IR?

Perceba que João teve inúmeros privilégios e facilidades que Bia não teve. João teve referências, informação, sabia como o mundo corporativo funcionava. Não tinha medo de negociar, pedir ou barganhar. "Faz parte do jogo", seu pai lhe dizia ao orientá-lo. João nunca se sentiu menor ou inferior. Nunca se questionou se faculdade era para ele, se um bom emprego era para ele ou se seria capaz de fazer intercâmbio um dia. As suas referências já estavam lá, tudo isso era normal em sua realidade, era previsto e até esperado que ele seguisse esses passos.

Bia, por sua vez, enfrentou todos os tipos de dificuldade, não apenas financeiras e estruturais. Sofreu resistência e falta de apoio do pai, precisou lidar com a insegurança e o constante medo de perder o emprego. Toda vez que recebia um elogio, um bônus ou uma promoção, ela se entregava duas vezes mais para provar que os merecia – no fundo, sentia que, se não fosse a indicação da professora, nunca estaria naquela empresa. Além disso, Bia não se via livre para focar em si, seus sonhos e sua carreira, pois precisava primeiro ajudar a mãe, a sobrinha, e só depois podia pensar nela.

Bia poderá sofrer ao longo da vida com a síndrome do impostor, comum em quem rompe com os padrões familiares. Poderá sentir solidão em grande parte da jornada. Talvez viva momentos como se estivesse em um limbo, onde não se reconhece totalmente em seus colegas ou familiares. Quem é ela nessa nova ordem? Quando está com a família, evita falar de seus problemas e questões, afinal, para eles, ela não tem motivo para reclamar já que "tem emprego bom e ganha bem". Bia também poderá sentir culpa por progredir ou acessar coisas que sua família não possui, e essa culpa poderá fazer com que ela, de forma inconsciente, se autossabote no sentido de evitar o crescimento, achando que "já está bom". Isso porque, quanto mais ela progride, mais se distancia simbolicamente dos seus iguais (família) e, no fundo, o que todos queremos é pertencer. Uma das formas mais naturais de pertencer é sendo igual.

Basta que um da família "dê certo" para o destino da família inteira mudar!

Coloquei "dê certo" entre aspas porque o conceito de dar certo é subjetivo. Mas aqui estou usando no sentido mais usual: ter um bom emprego, ganhar um salário bacana, ter casa, carro, poder se vestir bem, viver bons relacionamentos, ter acesso a lazer.

Sei que você que está lendo pode se sentir como a Bia. Por isso, preciso que saiba que você pode ser a mudança, o novo paradigma, a referência para quem vem depois de você. Escolher um caminho diferente não é desonrar ou abandonar os seus: é dar a eles a oportunidade de outro destino.

Toda família terá pessoas que vão romper barreiras e que encabeçarão a mudança. Nesse caminho, não se obrigue a carregar todos com você – eu sei que a vontade é essa, mas nem sempre é possível, como talvez você já tenha percebido na prática. Contudo, lembre-se: a palavra convence, mas o exemplo arrasta. Nada é mais forte e eficaz para a mudança do que um exemplo a seguir.

SEGREDO REVELADO: nem todo problema que você vive no trabalho começa no trabalho. Entender a origem do problema o ajudará a resolvê-lo.

3

EMPRESA NÃO É FAMÍLIA
E QUANTO MAIS PROFISSIONAL FOR, MAIS DISTANTE DA IDEIA DE FAMÍLIA ELA ESTARÁ
✱ ✱ ✱

Para muitos profissionais, a frase que dá título a este capítulo é um soco no estômago. Não levam a sério o que eu digo, me acusam de afirmar algo que não é verdade, afinal, se eles se sentem como família, logo são família. Mas será que são mesmo? Ou melhor, será que é saudável acreditar que os colegas de trabalho são nossa família e que a empresa é nosso lar? Resposta curta e direta: não. E quanto antes você souber (e aceitar), melhor para você e para a sua carreira.

A relação de trabalho não é uma relação familiar, pela própria natureza e dinâmica original de cada uma, que são diferentes por essência. A relação de trabalho é uma relação de troca, na qual você vende o seu trabalho, entrega performance e recebe uma remuneração por isso; se você não entrega, pode ser substituído, demitido. O mesmo vale para o funcionário: se a empresa não oferece boas condições de trabalho, boa remuneração e oportunidades de crescimento, ele pode trocar de emprego. No ambiente familiar, não é assim; você pode até romper com a sua família, deixar de frequentar eventos, cortar relações, mas não pode excluir os laços de sangue ou decidir fazer parte de outra árvore genealógica.

Família não se escolhe, empresa sim.

"Família é sagrado"; "Não se abandona a família"; "Nada é mais importante do que a família"; "Família acima de tudo" são algumas frases que ouvimos com frequência. Algumas famílias são funcionais e saudáveis, outras são abusivas e tóxicas. A instituição família, em nossa sociedade, possui um quê de sagrado e, por isso, envolve tabus e questões mal resolvidas. Amar a família é quase um imperativo, e, se você não o faz, mesmo que seja para sua própria proteção física e mental, será julgado pela maioria das pessoas, declarado culpado e, claro, visto como ingrato.

Quando a empresa empresta o conceito de família para seus negócios, ela está tentando evocar o aspecto positivo da palavra, isto é, o simbolismo, a força e o significado contidos nela. Mas como isso se reflete na prática? Na ideia de posse, no desejo de fidelidade e na expectativa de que os funcionários estejam dispostos a sacrifícios pessoais pelo todo, pela "família". Para isso funcionar, ela utiliza discursos carregados de emoção, e às vezes os papéis se confundem – sai a figura do chefe e entra a do pai, do amigo, do parceiro... Cheirinho de cilada, está sentindo aí?

Comece a reparar nos casos de abusos cometidos por empresas, de exploração, até mesmo de trabalho em condições análogas à escravidão que vez ou outra são noticiados na mídia. Você perceberá que, em sua defesa, as empresas argumentam que a relação entre chefe e funcionário "sempre foi uma relação quase familiar, de amigos, de parceria". Anote: quando uma relação se estabelece sem clareza (para uma das partes) quanto à sua natureza, potencializa-se o risco de invasão dos espaços e de abuso de poder.

Para ser sincera, sempre me surpreende essa confusão nas relações de trabalho. E explico o porquê: as relações que estabelecemos nas empresas deveriam, por premissa, ser mais fáceis que qualquer outra relação interpessoal, pois são relações que já nascem com contrato, com regras combinadas. Você já tinha pensado sobre isso?

Na prática, no entanto, elas não são mais fáceis. Quantos funcionários já conheci que se sentiam aprisionados ou culpados por meramente pensar em sair da empresa! E de quantos ouvi relatos de que foram julgados, penalizados ou chamados de ingratos por seus chefes quando efetivamente tomaram tal decisão! "Tudo o que você tem foi a empresa que deu!"; "Não esperávamos tanta ingratidão depois de tudo o que fizemos por você" são algumas das falas mais comuns... Quanta confusão e carga emocional elas contêm! Ponto a ponto: empresa não dá nada, empresa remunera o trabalho prestado, logo já está pago; gratidão não tem a ver com permanência em uma empresa (olha o sentimento de posse aqui), você pode ser grato pela liberdade de ir e vir – como o contrato de trabalho prevê, aliás; por fim, que expectativa é essa cuja quebra pode ferir o combinado contratual? Se não está no contrato e não foi combinado, não faz sentido cobrar.

"Mas, Paula, você não entende! Houve um investimento no funcionário"; "Eu criei expectativas"; "Ele prometeu que ficaria pelo menos dois anos na empresa": já essas são algumas das falas que escutei de donos e gestores de empresas. Claro que eu entendo, é normal ficar frustrado, realmente custa caro contratar, leva tempo para treinar, é ruim criar uma expectativa e vê-la não se cumprir; porém, isso não muda o fato de que faz parte do negócio, pessoas vêm e vão. Se a permanência do profissional por um período for fundamental, isso precisará constar em contrato. Quem gere um negócio precisa mapear esse tipo de coisa.

Acima de tudo, há uma diferença grande entre sentir e agir.

Eu defendo que temos o direito de sentir, mas agir para punir um funcionário porque ele decidiu se demitir não faz sentido nenhum. Da mesma forma, não há nada que justifique um funcionário, ao ser demitido, apagar arquivos ou danificar o patrimônio da empresa. Frustração faz parte, mas é preciso controlar as reações. Concorda?

De fato, não são apenas os funcionários que se prejudicam com a confusão dos conceitos de negócios e família. A ideia de que "somos uma família" na empresa pode se virar contra o próprio empregador, por melhores que sejam as suas intenções.

E aqui posso dar dois exemplos. O primeiro ocorre quando a empresa começa a crescer e precisa profissionalizar seus processos, realizar mudanças, mexer na hierarquia, na estrutura, contratar pessoas novas, e aquele funcionário da "família" não entende e se torna resistente, fica chateado, triste, encara mudanças simples como falta de consideração e perda de prestígio, passa a boicotar processos – o famoso "leva para o coração". A conexão emocional é grande demais e, convenhamos, esse funcionário foi, de certo modo, induzido a agir assim. Nas relações familiares, a estrutura permanece a mesma durante toda a vida – o pai não deixa de ser pai para se tornar filho, por exemplo. Já na empresa, as posições mudam. Se hoje você é a principal liderança, amanhã pode não ser. Imagine que difícil: você está há dez anos abaixo somente do dono da empresa, sentindo-se parte integral do negócio, vivendo essa experiência sem reservas, entregue de uma forma muito emocional, e, de um dia para o outro, chegam dois novos gestores de mercado e você agora já nem se reporta diretamente ao dono, saindo da cena principal para que a nova hierarquia e os novos processos funcionem. Que difícil! Essa é uma situação muito delicada de gerir para a maioria das empresas.

Assim como o desligamento de um funcionário antigo, da "família". A empresa provavelmente será acusada de não ter consideração, não só pelo funcionário como também pelos colegas que permanecerem, que, via de regra, não digerem bem mudanças assim. Racionalmente, isso não deveria acontecer. A mesma regra que vale para o empregador vale para o empregado: se está previsto em contrato o direito de rescindir, desligar alguém não deveria ser surpresa nem motivo para acusações, certo? Na teoria, sim. Especialmente, se a demissão foi construída a partir de feedbacks e realizada com o devido respeito. Mas se a ideia de "somos uma família" já está cristalizada no imaginário coletivo, então, quando demite um funcionário da família, a empresa trai o próprio discurso, vira vítima da própria narrativa.

Por mais que o discurso possa ser confuso, é importante que você tenha clareza.

Sendo sincera, tem várias falas além de "somos uma família" que são comuns no mercado de trabalho e que me incomodam. Vou trazer mais alguns exemplos e comentar cada um, e você aí vai refletindo junto comigo. Lembre-se de que um dos meus papéis neste livro é provocar em você novas perspectivas.

"Tem que vestir a camisa da empresa" e "Ter senso de dono": quero deixar claro, dizer com todas as letras que nosso compromisso enquanto funcionários é honrar o contrato de trabalho, fazer o melhor, agir de forma ética e, claro, se o objetivo for receber uma promoção, fazer além (se tivesse que traduzir em porcentagem, eu diria 30% a mais). Isso é o que eu penso, o que eu defendo.

Dito isso, posso passar ao perigo que guardam falas como essas. Elas evocam o sentir como tal (sem ser), a devoção (que não pode ser cega), a fidelidade (que é temporária, não permanente), a dedicação total (e eu defendo o equilíbrio entre o que é bom para a empresa e o que é bom para o funcionário). É por isso que essas frases me trazem incômodo.

A empresa representa e defende os seus próprios interesses, o funcionário representa e defende os seus próprios interesses. Em uma relação de troca saudável, é assim que funciona: cada um cuida de si, e ambos permanecem juntos enquanto compartilharem os mesmos interesses. Sobre "ter senso de dono", "postura de dono", acredito que "autorresponsabilidade", "proatividade", "autonomia" sejam ideias melhores. Mas qual é o problema em "senso de dono"? Pela minha experiência, é um termo que potencializa a confusão dos papéis. Para funcionar, depende da interpretação do funcionário (que é subjetiva e individual) e, por isso, pode induzi-lo ao erro. Quantas pessoas já não atendi que realmente assumiram esse papel e depois foram advertidas por terem ido além do que podiam? Se é algo que podemos evitar, por que não?

"Ninguém me dá oportunidade": essa fala me traz angústia. E vou explicar por quê. O mercado não dá nada. Surpreendente para mim é esperar o contrário disso. Como já afirmei, a relação profissional é de troca, logo, se alguém aparecer te "dando" algo, você deve desconfiar. O que costumamos chamar de "oportunidade dada", eu aprendi a chamar de "aposta de menor custo". Ninguém aposta em quem não tem para dar. Acontece, sim, de as empresas apostarem em um profissional que não está pronto tecnicamente, mas que possui boas *soft skills* (habilidades comportamentais), um *fit* cultural (identificação com o modo de ser e fazer da empresa). Em contrapartida, geralmente não se paga a esse profissional o que se pagaria a um profissional pronto. Portanto, oportunidade é algo que se busca ativamente, e não algo que se cobra. Toda "oportunidade dada" foi conquistada por você, afinal ela não te encontrou dentro de casa, certo?

"Pessoas em primeiro lugar": o discurso está na base da cultura organizacional. Uma cultura *walk the talk* (que coloca em prática aquilo que prega) precisa prestar atenção na coerência de seu discurso. Por vezes, constrói-se um discurso bonito, humano, bom para o *employer branding*, mas na prática não entrega aquilo que promete. Sobre pessoas em primeiro lugar, sobre ser preciso cuidar delas, me pergunto: a empresa realmente colocará os desejos, os interesses e o bem-estar individual de seus funcionários à frente dos lucros, das metas e dos objetivos empresariais? Por lógica, pelo entendimento de que a premissa para a existência de uma empresa é o lucro, isso provavelmente não se concretizará nesses termos. Sugiro, então, uma mudança no discurso, para indicar com outras palavras o valor humano, sem prometer o que não se pode entregar, como: "Valorizamos as pessoas".

"É uma oportunidade!": nem toda oportunidade anunciada é realmente uma oportunidade para você. Você precisa ter muita clareza do que quer e do que não quer para não cair em ciladas. Existem pessoas que jogam, usam de má-fé para obter o que desejam. Geralmente, se caracterizam por discursos apaixonados, cheios de promessas, falam muito, usam muitas palavras de engajamento. Ouça, preste atenção, mas seja crítico. Às vezes, até se trata de uma oportunidade – para quem oferece, não para quem aceita.

"Eu não tenho subordinados, eu tenho amigos!": dá para ser amigo do subordinado? Dá! Isso pode acontecer? Pode! Pode ser saudável? Com certeza. Essa é a regra geral? Não acredito. Quanto a esse tipo de discurso e de relação, existem alguns pontos de atenção: invasão dos limites (qual é a fronteira entre a relação profissional e a pessoal?); expectativas mal dimensionadas ("Você vai me avaliar como subordinado ou como amigo?"); cobranças excessivas (chefes que, na tentativa de serem justos aos olhos de todos, pesam muito mais a mão com os amigos, sobrecarregando-os); ciúme e desconfiança (de um sistema justo de avaliação por parte dos subordinados que não são amigos do chefe); entre outros.

Chefes, estejam muito conscientes do que estão fazendo; lembrem-se de que uma situação de papéis misturados sempre terá um toque a mais de complexidade, e, para funcionar, vocês precisam estar preparados. Funcionários, prestem atenção à invasão dos seus limites e aos desequilíbrios na relação, ou à expectativa de reconhecimento sobre coisas que não vão realmente ajudar na sua carreira.

Vou contar uma história para ilustrar. Tive uma gestão com essa pegada "somos amigos". Quando dei por mim, estava escrevendo muitos dos *e-mails* dessa gestão (deixando de fazer meu trabalho), ouvindo horas de desabafos sobre coisas que eu não deveria saber (tretas e bafafás dos superiores da empresa, a avaliação que ela fazia de colegas, informações que deveriam ser sigilosas) e até fazendo apresentação de PowerPoint de atividade de pós-graduação dela no horário de almoço (porque eu "fazia apresentações lindas"). Foi uma vez e nunca mais! A responsabilidade pela confusão de papéis nesses casos é compartilhada. Claro, eu poderia ter me posicionado no primeiro momento, mas não tinha a consciência que tenho hoje. Fiquei presa em um looping de querer agradar, acreditando que os trabalhos a mais me trariam algum benefício na carreira. Ao final, tudo o que obtive foi a lição de que é preciso ter cautela com essa ideia de chefe amigo.

> Antes de continuar, reflita a respeito do que acabamos de conversar. Você já confundiu alguns desses conceitos? Agora que tem a oportunidade de olhar por um novo ângulo, enxerga algo de diferente?

SE EU FALAR DE FORMA FOFA, NÃO VAI DOER. MAS E A REALIDADE, ELA SERÁ FOFA TAMBÉM?

Ainda falando sobre discurso, temos no Brasil uma tendência cultural a eufemizar, a suavizar o discurso para que ele seja mais bem-aceito. Como recurso, esse comportamento pode ser útil, por vezes até necessário. Contudo, querido leitor, estou te preparando para um tema que apresentarei logo mais – **leitura de cenário** – e por agora preciso dizer: às vezes, o discurso eufemizado atrapalha.

Perceba: não falamos mais que temos um problema, mas que temos um desafio; não falamos mais em pontos fracos, mas em pontos a desenvolver; chefe vira líder; funcionário vira colaborador; erros viram oportunidade de melhoria... Me vem à mente uma empresa que atendi, que tinha um programa de avaliação de desempenho consolidado, bem construído. Então, em um determinado ciclo de avaliação, o RH, na hora de apresentar a escala avaliativa, disse que queria fazer diferente. Eles não queriam mais usar o termo "não atende" para designar a nota mais baixa; agora, queriam usar "a desenvolver". Eu perguntei o motivo, e a resposta foi: "Não queremos desmotivar o funcionário". Continuei perguntando (porque sou dessas): "E o que acontece se o funcionário não se desenvolver até a próxima avaliação?". Então me responderam: "Depende, mas, em algumas áreas, seis meses depois dentro do novo ciclo, se não houver melhora na performance, isso poderá acarretar a demissão".

Eis um caso em que não defendo a substituição ou a eufemização de um conceito. É preciso deixar claro – com educação, de forma transparente – o peso real da situação. O funcionário precisa entender que a competência faltante não é algo opcional, não é simplesmente algo que "seria legal desenvolver". A competência que falta é determinante para a permanência dele no trabalho. No caso desse exemplo, aprendi uma lição muito importante: nem toda intenção positiva tem efeito positivo. A intenção da empresa pode ser a melhor, mas o impacto dela não necessariamente o será.

"Ah, Paula, todo funcionário obviamente sabe como funciona a avaliação de desempenho!" Entenda: o óbvio não existe. Além disso, aproximadamente 98%[1] das empresas no

---

[1] De acordo com o Boletim do Mapa das Empresas, referente ao primeiro quadrimestre de 2022, publicado pela Secretaria Especial de Produtividade e Competitividade do Ministério da Economia (Sepec/ME), 2022. Disponível em: https://www.gov.br/

Brasil são micro e pequenas, o que significa que processos sofisticados de RH, tais como a avaliação de desempenho, não são a realidade da grande maioria das pessoas. Por fim, nem todo profissional tem experiência o suficiente para captar o que o discurso está dizendo nas entrelinhas e os riscos que ele está correndo.

E aí eu pergunto: nossas relações de trabalho não seriam mais fáceis se fôssemos fiéis aos conceitos que usamos?

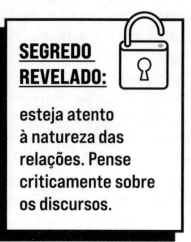

SEGREDO REVELADO: esteja atento à natureza das relações. Pense criticamente sobre os discursos.

---

empresas-e-negocios/pt-br/mapa-de-empresas/boletins/mapa-de-empresas-boletim-1o-quadrimestre-2022.pdf. Acessado em fevereiro de 2023.

4

QUEM NÃO LÊ CENÁRIO, DANÇA!
✳ ✳ ✳

"Se você não descobre nos primeiros cinco minutos de uma reunião quem é o idiota, é porque o idiota é você."

Essa frase foi seguida por: "Paula, não é porque você não manipula que você não está sendo manipulada; ou você aprende a pensar ou vai ser engolida aqui". Eu tinha 22 anos, estava indo para uma reunião com gerentes, e o meu gestor me deu esse aviso. Segundo ele, me faltava malícia; eu concordo, faltava mesmo. Eu era jovem, via o mundo em cor-de-rosa, romantizava tudo.

Hoje, consigo entender perfeitamente o que aquele gestor quis me dizer. E, como você deve imaginar, não foi da melhor forma que aprendi o significado daquelas duras palavras: caí em muitas ciladas, muitos jogos psicológicos, fui feita de boba, tomei calotes, entrei em enrascadas, me decepcionei depois de acreditar na boa-fé alheia, queimei a largada, me posicionei em momentos errados...

A real é que a Paula do passado não tinha nenhuma malícia corporativa. Eu me guiava pela máxima de que as pessoas jamais fariam comigo o que eu não faria com elas. O tempo ensina, né? Descobri que as pessoas são capazes de fazer coisas que eu não sou capaz nem de imaginar.

Já compartilhei diversas vezes com quem me segue nas redes sociais que a minha relação com o trabalho no início da carreira era uma relação de sofrimento. Buscando entender o que faltava para essa relação ser melhor, comecei a reparar que um termo teimava em aparecer nos meus feedbacks no trabalho: "leitura de cenário".

"Falta leitura de cenário"; "Você precisa analisar o cenário antes de agir"; "Você precisa ver além do que é mostrado", me diziam. Ótimo, já entendi que falta "leitura de cenário". Mas como é que se faz isso?! Com o tempo, cheguei à conclusão de que, apesar de todo mundo falar em "ler o cenário", a maioria de nós não aprendeu o que de fato significa isso. E agora a minha missão é fazer você saber.

Sobreviver, parar de sofrer e crescer.

Meu intuito neste capítulo é desvendar os jogos implícitos, revelar o que não é dito, para proporcionar a você melhores condições para competir no mercado de trabalho. Hoje vejo o mundo do trabalho como um jogo de estratégia. E um jogo só é justo se todos conhecerem as regras, certo? A real é que, quando estamos falando de mercado, muitas regras não são compartilhadas... Assim, as partidas quase sempre são jogadas somente por aqueles que já conhecem o jogo, que já dominam a quadra. Isso explica por que o poder gira em torno das mesmas mãos.

Minha proposta é que você avance em três níveis: **sobreviver ao jogo**, **parar de sofrer** e **crescer**, se possível abrindo caminho para quem vem depois de você. Mas, Paula, como assim?

Saber ler os cenários te dará clareza dos pontos que demandam adequação da sua parte, e isso te ajudará a **sobreviver**. Vendo o campo como ele é, tendo profunda conexão com a realidade, você se tornará mais forte, mais seguro e, assim, **seu sofrimento diminuirá** (zero sofrimento é impossível, fiz uma promessa audaciosa demais, admito, mas diminuir o sofrimento é possível, sim!). Então, essa lógica aprendida te levará ao terceiro nível, no qual você será capaz de desviar da maioria das armadilhas no caminho – eu garanto, elas sempre aparecem – e **crescer profissionalmente**. Quando alcançar o sucesso (seja ele qual for) ou o poder da caneta, você poderá escolher reproduzir o que foi ruim ou agir diferente e usar o que aprendeu para beneficiar outras pessoas. Espero que escolha o segundo caminho.

Reconheça o campo, avalie os riscos e trace planos.

Preciso reafirmar o óbvio: a teoria aceita tudo. Teoria fala de ideal, daquilo que perseguimos e desejamos. Vida real é diferente. Faço essa ressalva porque leitura de cenário se trata de analisar o cenário real e aceitá-lo como ele é (não como você gostaria que fosse). Quando falo em aceitar, não é no sentido de se conformar. O equilíbrio é o que buscamos enquanto postura. Aceitar tudo ou se revoltar com tudo (postura oito ou oitenta) não costumam ser boas estratégias no mundo do trabalho. A rigidez, de modo geral, é uma má escolha. Aprendi isso com outra gestão, a qual me deu um exemplo bem didático: "Você pode ser fogo e passar devastando tudo no caminho ou ser água e contornar". No fundo, isso quer dizer que tem batalhas que valem a pena e outras que não.

Falando em batalha, o conceito de leitura de cenário foi emprestado do vocabulário militar. O que faz muito sentido quando pensamos que ninguém entra em uma guerra para perder, já que isso pode significar perder a própria vida. Por isso, antes de escolher as batalhas que se vai enfrentar, é preciso definir objetivos, identificar riscos e vulnerabilidades, mapear oportunidades de sucesso, desenvolver planos de ação, ter clareza das alternativas e dos planos de fuga e, o mais importante, treinar e se preparar para enfrentar o campo real.

Agora que você entendeu o que é a leitura de cenário no contexto militar, vamos transplantar o conceito para sua carreira, para que você seja capaz de enfrentar as batalhas diárias que surgirão!

Não seja surpreendido por aquilo que você pode prever.

Vou mostrar a aplicação prática da leitura de cenário. Para isso, quero contar o caso do Mário, da Mari e do Jean. Os três têm trajetórias, ambições e relações diferentes com o trabalho e com a empresa. Contudo, há um ponto em comum na vida profissional deles: a falta de leitura de cenário. E essa falta de percepção, de compreensão do todo, acabou levando os três para o mesmo destino, a demissão. Para que isso não aconteça com você, preciso que conheça a história de cada um deles.

Mário, 50 anos, estava havia vinte na mesma empresa. Começou de baixo na operação e foi crescendo aos poucos até ganhar um cargo maior e um bom salário. Mário conhecia o dono da empresa de perto, virou noites trabalhando com ele no início do negócio, sentia-se parte da família, até ser demitido.

Sinais que Mário ignorou: a segunda geração da família assumiu a empresa e decidiu modernizar para crescer. Fazia oito anos que Mário não era promovido ou movimentado de área. Nesse tempo, ele se tornou o multiplicador principal da empresa nos assuntos da produção, treinou vários novos profissionais que vinham do mercado com perfis diferentes do dele (vivência em empresas maiores, novas ideias e uma pegada mais jovial). Mário, que sempre valorizou o trabalho

SABER LER OS CENÁRIOS TE DARÁ CLAREZA DOS PONTOS QUE DEMANDAM ADEQUAÇÃO DA SUA PARTE, E ISSO TE AJUDARÁ A SOBREVIVER.

duro, relutava em participar de apresentações ou cafezinhos, achava isso uma perda de tempo (o filho do dono, pelo contrário, adorava, repetia que queria ter visão total dos processos). Mário parou de estudar depois que completou a graduação, pois achava que o conteúdo de uma pós não teria aplicação prática no dia a dia da fábrica. Também nunca teve LinkedIn nem fez parte de grupos de *networking*. Mário vivia para o trabalho e para a família. De acordo com ele, não sobrava tempo para nada (até porque havia se acostumado a fazer muitas horas extras como forma de ajudar a empresa e ganhar um pouquinho a mais). Se Mário tivesse olhado um pouco para fora, teria percebido os sinais de que a empresa estava mudando e poderia ter se adaptado ao novo momento. Ele se desconectou do mundo externo achando que o vínculo com a empresa seria para sempre, manteve uma visão ingênua em relação a ela, mesmo tendo visto colegas em situação similar sendo demitidos. Preferiu acreditar que isso não aconteceria com ele, que jamais seria vítima dessa "falta de consideração". Quando Mário foi dispensado, estava sem *networking*, com defasagem educacional em relação aos concorrentes, sem um plano B e sem chão.

Já a história da Mari foi a seguinte: ela atuava em uma empresa que se orgulhava de seus títulos, um dos quais dizia que era "uma das melhores empresas para se trabalhar". A empresa tinha uma fama muito bem construída sobre equidade e valorização da mulher. Mari não poderia estar mais feliz. Até que começou a ser assediada moralmente por seu diretor. Nas reuniões, era interrompida constantemente e suas ideias só eram validadas quando a autoria era compartilhada com ele ou totalmente apropriada por ele. Ela não sabia o que fazer, tinha medo. Esse diretor tinha muitos anos de casa, era tratado como um semideus. A postura dele era questionável para além da relação com Mari, mas ninguém fazia nada a respeito. Mari ficava confusa. Tratava-se mesmo de um tipo de assédio? Será que ela estava sendo "sensível demais", como o diretor indicava, ao reagir aos excessos? Depois de meses de sofrimento, ela buscou seu gestor direto, que colocou panos quentes e a aconselhou a não entrar em confronto, minimizando o caso, afinal o diretor era muito poderoso e muitas pessoas já tinham caído por causa dele. Meses depois, Mari se demitiu – arrasada psicologicamente e descrente no mundo corporativo.

O que poderia ter sido diferente? Lembra que a teoria aceita tudo? Então, por vezes, o choque entre o que diz a teoria e o que ocorre na prática nos paralisa. A primeira coisa que Mari deveria ter feito era tentar enxergar a empresa para além do marketing que esta propagava – toda empresa pode ter problemas. Ainda, no primeiro sinal de comportamento inadequado, ela poderia ter procurado ajuda externa (psicólogo, advogado, colegas de outras empresas) em busca da referência que ela não encontrou sozinha nem na gestão direta. Quando desconfiamos que algo está errado, não podemos nos isolar. Isso enfraquece a vítima. Depois, seria hora de agir; ela poderia ter se posicionado objetivamente ou, dado o medo que sentia, recorrido a canais alternativos: compliance, denúncia por escrito ao RH, denúncia sigilosa no Ministério Público do Trabalho ou mesmo um advogado trabalhista, para obter orientações e eventualmente tentar uma rescisão indireta (uma vez que há o descumprimento do contrato de trabalho, o empregado consegue, quando comprovado o assédio, ser demitido recebendo todas as verbas rescisórias de direito).

Passar por uma situação de assédio de qualquer natureza no trabalho é um trauma. É algo pelo qual ninguém deveria ter de passar. Contudo, infelizmente, todos os dias situações assim acontecem. Enquanto vítima, você precisa saber: denunciar é o melhor caminho. Porém, mesmo aí é preciso fazer a leitura de cenário: qual dos caminhos possíveis de denúncia é o melhor para você?

Por fim, Jean foi contratado em uma empresa moderna, que afirmava com orgulho valorizar "conflitos construtivos". Jean acreditava que finalmente havia encontrado seu lugar. Seu perfil lógico, técnico e questionador não tinha sido muito apreciado nas empresas anteriores. Mas agora que ele estava em uma multinacional, com uma cultura de influência norte-americana, tudo seria diferente, ele se sentia autorizado a se posicionar. Pouco tempo depois de entrar, porém, Jean começou a ser visto como uma pessoa difícil, resistente, que só dizia não. Antes mesmo de conseguir entender o que estava acontecendo, ele foi demitido.

Mas a culpa foi de Jean? Talvez ele não enxergue assim, afinal não fez nada além do que a empresa defendia. Por que, então, foi desligado? Lembra das regras do jogo de que falei anteriormente? Então, muitas delas não são faladas (tabus). Você as sente, você as percebe, mas, se as questionar, provavelmente todos vão negá-las. Jean talvez tenha aprendido com a experiência que nem sempre aquilo que está escrito no quadrinho de cultura é praticado e que, quando se trata de conflitos e conversas difíceis, tudo depende de quando, onde, como e com quem. Ainda, a cultura do país é soberana; por mais que possa haver influência de outras culturas numa empresa, como no caso das multinacionais, é preciso se atentar ao modo de fazer do brasileiro. Geralmente, nosso modo de comunicar é com cuidado, com jeitinho, damos voltas na tentativa de não desagradar. Se Jean tivesse levado em conta esse traço cultural, teria suavizado um pouco seu modo de se colocar. A regra que vale é a regra praticada, não a escrita.

Apesar de você não conhecer o Mário, a Mari ou o Jean, tenho certeza de que já viu ou viveu histórias parecidas. E aqui entra o sentido da frase "Não seja surpreendido por aquilo que você pode prever". Rasgando o verbo, sendo brutalmente honesta, Mário pode ter sofrido etarismo, pode ter sido vítima da crença equivocada do "somos uma família", pode ter ficado caro pelo fato de não ter evoluído na sua posição. Dissídio sobre dissídio, em um mercado capitalista que busca o máximo pelo mínimo, troca-se um especialista por um profissional mais jovem e mais barato. Novidade? Quantas vezes já vimos isso?

Mari provavelmente foi vítima do machismo estrutural, na figura tanto do diretor quanto do gestor direto. Além de tudo, percebeu algo cruel: ainda existem empresas que fazem vista grossa para comportamentos inadequados quando o profissional que os comete é tido como alguém que dá resultado. E Jean foi traído por acreditar na literalidade das palavras, no mundo ideal da teoria. A vida real, como vimos, é diferente.

O que eu proponho é ler o cenário, tocar em tabus, falar da parte politicamente incorreta, porém presente. Eu gostaria que o mercado fosse diferente, mas ele ainda não é. E você precisa abrir os olhos, porque, se a carreira é sua e o interesse é seu, só você pode mapear os problemas e agir em seu próprio favor.

Você pode aprender com a experiência dos outros.

Atender pessoas foi o que mais me ensinou sobre o mundo do trabalho. Ouvindo milhares de profissionais ao longo desses anos de atendimento, e também com base nas minhas próprias experiências, percebi alguns padrões que agora compartilho com você.

CULTURA É SOBERANA

"A cultura engole a estratégia no café da manhã." Essa frase ficou famosa com o autor Peter Drucker, e podemos interpretá-la da seguinte forma: a cultura é maior do que o indivíduo, é maior do que um conjunto de táticas ou do que uma nova tecnologia implantada de forma isolada na empresa. A cultura é o resultado multifatorial das ações realizadas ao longo de anos, fruto da crença de muitas pessoas que reproduzem, de forma consciente ou não, um conjunto de valores e hábitos.

O melhor dos mundos é quando encontramos uma cultura empresarial com a qual temos total identificação, mas sabemos que nem sempre estamos em condição de escolher o trabalho. Sendo assim, aviso: não caia na armadilha de tentar mudar uma cultura sozinho, sem uma estratégia. Já perdi as contas de quantas vezes vi profissionais se debatendo, conflitando, se indispondo e criando inimizades por querer mudar, de forma inadequada, uma cultura que já estava estabelecida. Uma empresa não vai mudar seu modo de ser e de fazer só porque você não gosta, não concorda, não acha eficiente ou não acha [complete aqui com qualquer outro adjetivo].

É preciso ler o cenário e agir com astúcia. Também recomendo avaliar seu lugar na estrutura de poder da organização. Se você está em uma posição de decisão, pode agir de forma mais diretiva, até porque mudanças culturais costumam ser *top-down* (de cima para baixo). Caso você não esteja nessa posição, provavelmente está em um lugar de influência, ou seja, pode influenciar quem decide.

Em qualquer caso, tenha cuidado. Antecipando algo de que trataremos mais à frente: de modo geral, as pessoas não lidam bem com erros, com falhas ou com a ideia de que poderiam ter feito mais e melhor e decidiram não fazer.

Se o seu intuito é promover mudanças, precisará aprender a se comunicar de forma positiva e construtiva, usando sua influência e persuasão junto aos tomadores de decisão. Acredite, suas chances de sucesso serão muito maiores.

NÃO QUEIME A LARGADA

Para ilustrar este tópico, vou te contar uma história. Eu tinha iniciado o meu mestrado havia pouco tempo e percebi que alguns professores eram críticos ao que eles chamavam de "literatura de aeroporto". A crítica era sobre o fato de que algumas teses acadêmicas com alto teor científico e grandes contribuições por vezes eram lidas por poucas pessoas, enquanto livros mais "banais e de reprodução do senso comum" eram *best-sellers*, alcançando milhares de leitores. Eu, que vinha do mercado, achava que tinha uma solução para esse problema. Na minha visão, a academia era distante do mercado na linguagem e na forma. Usar meios mais modernos poderia atrair as pessoas para o aprendizado científico e, um dia, na terceira aula de um professor que eu admirava, achei a oportunidade de falar isso: "Professor, a academia poderia se modernizar, né? Poderíamos ter um canal do mestrado no YouTube, fazer um podcast. Sinto que a academia está muito distante do mercado, isso acaba fazendo com que conteúdos incríveis sejam pouco acessados. Poderíamos...", e falei por uns três minutos tudo o que achava que podia ser melhor e diferente (nitidamente, eu não tinha conhecimento do que relatei no tópico anterior).

O professor me ouviu em silêncio, então chegou bem pertinho de mim (na frente da sala toda) e disse: "Paula, vamos fazer o seguinte: primeiro, seja alguém na academia, depois me diga o que você acha que precisa ser feito".

Sempre que compartilho essa história, as opiniões se dividem. Uns consideram o professor arrogante, outros acham que eu realmente queimei a largada. Apesar de hoje estar convicta de que poderia ter passado sem essa, agradeço a lição poderosa de realidade que o professor me deu.

Eu era uma aluna que tinha acabado de chegar, com pouquíssimo conhecimento de como as coisas funcionavam, do porquê as coisas eram como eram e, sem ter a intenção, posso ter soado arrogante ou, no mínimo, ingênua ao querer ditar, com tão pouco embasamento, o que alguém com trinta anos de profissão (mais tempo do que eu tinha de vida) deveria fazer diferente. Talvez agora você esteja pensando que muitas empresas inovam exatamente assim, ouvindo pessoas com experiências e repertórios diferentes... Concordo, mas não era essa a cultura da instituição de que eu estava tentando fazer parte naquele momento.

Eis que aprendi a lição que traduzo como: não queime a largada. Antes de sair emitindo opiniões, fazendo comparações ou dizendo o que pode ou não ser diferente e melhor, busque compreender minimamente a história, os mecanismos, as motivações e, principalmente, o modo de falar para que você tenha mais chances de ser ouvido.

QUANTO MENOR A ADEQUAÇÃO, MAIOR A RESISTÊNCIA

A regra é simples: quanto mais próximo você estiver do que é esperado de você ou do estereótipo que se tem de determinado cargo ou profissão, menos resistência você enfrentará. Quanto mais diferente você for, mais resistência, dúvidas e críticas encontrará no caminho.

Vou dar um exemplo: de modo geral, entre as orientações para uma entrevista de emprego, está vestir cores como branco, cinza, azul, isto é, cores comuns e que costumamos ver no ambiente das empresas. Se a entrevista for em um banco tradicional do segmento *premium*, talvez você escolha uma roupa social e, de forma consciente ou não, cubra com uma camisa aquela tatuagem que toma o seu braço esquerdo inteiro ou alinhe barba e o cabelo para transmitir uma imagem mais elegante. Tenho certeza de que, se você puxar pela memória, vai perceber que já viveu a experiência de tentar se adequar por saber que assim suas chances de pertencer seriam maiores.

Digo isso não para te convencer a ser igual a todo mundo, afinal qualquer dia é um bom dia para quebrar uma regra, um paradigma. Contudo, nem sempre é conveniente assumir o risco da resistência, ainda mais quando, como no exemplo dado, a opção pela adequação representa uma chance de colocar comida na mesa.

Porém, em contextos específicos, fazer diferente é escolher o caminho da liderança. É assim que líderes se formam, quando assumem uma nova postura e lideram uma mudança com base no próprio exemplo. Agir assim traz incontáveis bônus à vida e à carreira, sim, mas, como o meu papel aqui é trazer os dois lados para te ajudar a pensar melhor, saiba que esse comportamento terá um custo.

Aprenda a avaliar quando é momento de se adequar e quando é momento de liderar uma mudança.

E COMO LER O CENÁRIO NA PRÁTICA?

Afinal, como eu mesma já disse algumas vezes: na teoria, é tudo lindo, mas é a prática que conta. Como, então, ler o cenário no dia a dia, na hora de colocar as mãos na massa e fazer a roda girar?

A leitura de cenário é a análise do momento presente (conectando o passado e olhando para o futuro) e, por isso mesmo, deve ser revisitada periodicamente. Afinal, as empresas são organismos vivos, em que as mudanças, como em nós mesmos, acontecem o tempo todo.

Adequar-se não é deixar de ser quem você é.

Reflita sobre cada pergunta e responda com sinceridade:
1. O que a empresa em que você trabalha comunica para o mercado? (Quais são os valores? As competências? A missão? A visão? Que história a empresa conta e valoriza? Isso é básico e todo funcionário precisa saber.)

_____

_____

_____

_____

2. O que a empresa faz?
(Como a empresa age na prática? O que está escrito se cumpre ou há inconsistências? Exemplo: as competências dizem que o mais importante é o resultado, mas promove-se quem se relaciona melhor. Prática, por vezes, vale mais do que discurso, esteja atento!)

_____

_____

_____

_____

3. O que a empresa deseja?
(Com que outras se compara? O que deseja? Onde ela quer estar? Quando tiver dúvida de como agir, é na direção do desejo da empresa que você deve avançar.)

_____

_____

_____

_____

_____

4. Como age quem cresce na empresa?
(O que fala? O que faz? Como se veste? Como se comporta? Você age de maneira similar ou completamente diferente? Agir como você age vai trazer os resultados que você quer? Você está disposto a mudar algo em você para aumentar as suas chances de promoção? Modelar-se pelo comportamento de quem cresce é o caminho mais rápido para a promoção ou pode ser um ótimo sinal de que você está no lugar errado.)

_____

_____

_____

_____

5. Quem são os influenciadores nessa empresa?
(Influenciadores são pessoas que se deve ter mapeadas e, claro, com as quais é importante cultivar um bom relacionamento. Isso

porque eles influenciam os tomadores de decisão, aos quais nem sempre temos acesso direto.)

_____

_____

_____

_____

6. Onde você está na estrutura de poder e qual é o seu papel?
(O seu papel é decidir ou influenciar? Se for influenciar, você acredita que tem feito isso da maneira correta? Como você pode aumentar a sua influência? Dica: se o seu papel é influenciar, lembre-se de que, de modo geral, bater de frente não é uma boa maneira de fazê-lo.)

_____

_____

_____

_____

7. O que é esperado de você?

(Quais comportamentos, atitudes e entregas? A empresa pode esperar, por exemplo, um profissional que resolva problemas, tenha autonomia e traga ideias novas. Na dúvida, pergunte ao seu gestor.)

_____

_____

_____

8. Quando se compara com seus concorrentes (internos e externos), o que você oferece de melhor e o que ainda precisa desenvolver?

(Por exemplo, ao analisar os concorrentes, você pode perceber que a sua experiência profissional é diversificada e que você tem contato com muitas pessoas do mercado. Contudo, você não fala inglês e não tem bom relacionamento com a gestão direta. A partir desse reconhecimento, é importante fortalecer o que já é bom e corrigir o que é preciso melhorar.)

_____

_____

_____

Eu sei, mostrar a real sobre a leitura de cenário, esclarecer que nem sempre teoria e realidade andam juntas pode ser um soco no estômago e endurecer nosso olhar sobre o mundo corporativo.

Toda vez que falo sobre isso com as pessoas, recebo de volta um olhar melancólico, quase um pedido silencioso por uma resposta: se a teoria não se aplica à realidade e se a realidade não vai bem, como eu faço para sobreviver no mundo do trabalho?

Então, quando chego a esse ponto do conteúdo, da conversa, digo: "Calma, respira, vai dar certo e você vai sobreviver. Mas, para sobreviver, você precisa entender que, por vezes, jogar segundo a regra do jogo e se adequar a situações que não são o que você gostaria significa jogar a favor de si mesmo".

Leitura de cenário é entender que tudo é possível ou permitido, mas depende de quando, onde, como e das consequências com as quais se está (ou não) disposto a lidar. E isso, caro leitor, é colocar-se em primeiro lugar.

Nos próximos capítulos, você vai ver que leitura de cenário é parte fundamental para o avanço na carreira, uma vez que, sem essa habilidade, não conseguimos nem mesmo pedir um aumento, dar e receber feedbacks ou estabelecer nossos limites dentro do trabalho.

SEGREDO REVELADO: entre o discurso e a prática, observe a prática.

5

CONVERSAS
(NEM TÃO) DIFÍCEIS
✻ ✻ ✻

Você já parou para pensar por que algumas conversas são difíceis? Eu já. E quase sempre chego à mesma conclusão: depende. Não há resposta certa ou errada. O que é difícil para um não é difícil para outro. O que é óbvio para mim pode não ser óbvio para o outro.

Na maior parte das vezes, a dificuldade em estabelecer um diálogo está relacionada à conjuntura da conversa – se somos pegos de surpresa, se temos ou não domínio do assunto, se a pessoa com quem vamos falar ocupa um cargo superior, se esse interlocutor tem fama de ser bravo, difícil etc.

A boa notícia, porém, é que não precisa ser difícil. Existem muitas ferramentas e técnicas que podem facilitar a nossa vida na hora de falar o que precisa ser falado. O que você precisa saber é: **geralmente, as conversas que você evita são aquelas que poderiam trazer ganhos reais para a sua carreira**.

> **Às vezes, ter conversas difíceis é necessário para evitar uma vida difícil. O que você diz cura, o que você guarda adoece.**
> (Autor desconhecido)

O QUE PODE TORNAR UMA CONVERSA MAIS DIFÍCIL?

Apesar de não existir uma regra geral, existem alguns fatores que, para a maioria das pessoas, adicionam dificuldade na condução de uma conversa. Vou apresentar cada um deles a seguir, para que você possa refletir se eles impactam ou não você.

Emoções negativas

Geralmente, uma conversa difícil pode despertar emoções tidas como negativas, tais como medo, tristeza ou raiva. E, sejamos sinceros, nunca aprendemos a lidar com essas emoções, nem com as nossas, muito menos com as dos outros. Contudo, reconhecer e entender o que a emoção comunica é fundamental para se posicionar melhor. Por exemplo, a raiva geralmente indica uma frustração ou que nosso espaço está sendo invadido. A partir do momento em que processamos essa emoção, identificamos quais necessidades não estão sendo atendidas, e, de modo geral, é isso o que vamos comunicar. Mais do que apontar os erros e as falhas dos outros, devemos comunicar as nossas necessidades.

Conflito e desaprovação

Uma conversa difícil pode envolver algum conflito de opinião ou ideia, o que pode ser um desafio para aqueles mais dependentes da validação do outro (alô, princesas presas na torre!). A dica para lidar melhor neste caso é não transformar os conflitos em algo pessoal, o que passa por não tomar a parte pelo todo. Uma atitude ou opinião divergente é somente isso, uma atitude ou opinião divergente – não significa que tudo o que a pessoa faz está errado, que ela não presta ou que uma pessoa que pensa assim com certeza vai agir dessa ou daquela forma.

Expectativas

Esse tipo de conversa geralmente envolve expectativas de uma ou de ambas as partes. Quando as expectativas individuais não correspondem à realidade, o resultado mais comum é a frustração. Não acredito que seja possível não gerar expectativas, logo elas são algo que precisamos administrar. O segredo aqui é lembrar que as expectativas são suas; se não se trata de algo que foi falado ou combinado, nem adianta se frustrar – ou melhor, pode se frustrar, mas entendendo que não há culpa por parte do outro, que ninguém é adivinho. A chave é sempre combinar. E pode ser que mesmo assim as expectativas não sejam supridas. Bem, ninguém disse que seria fácil, né? Só menos difícil.

Limites

Estabelecer limites é um desafio para a maior parte de nós. Muitas vezes, pela falta de clareza sobre nossos direitos, outras, pelo medo de sofrer uma penalidade, outras ainda porque não queremos magoar o outro. Temos também uma ideia distorcida do que é impor limites. O tema é tão importante que teremos um capítulo dedicado exclusivamente a ele.

DIFICULDADE EM LIDAR COM SUPERIORES

Por vezes atendo pessoas que lidam bem com pares e subordinados, mas se sentem muito desafiadas na relação com superiores, ou porque se sentem julgadas, intimidadas por eles ou porque têm medo de desagradá-los. Pode ser, ainda, porque estão em uma relação confusa com essa liderança, emocionalmente envolvidas, enredadas por impressões do passado (lembra do que dissemos no capítulo "Carreira começa em casa"?). Para sanar isso, é preciso identificar o que a liderança representa que provoca uma forma de agir tão diferente e, a partir disso, dar novo peso e medida para a relação.

Mesmo com esses fatores adicionando dificuldade a algo que já seria complexo por si, é preciso encarar. Sabe o aumento que foi prometido e nunca veio? Os prazos do projeto que não são cumpridos e que você vai tolerando (e se sobrecarregando) para não ser visto como o chato? A fala machista de um gestor que você teve de engolir? São todos exemplos de conversas difíceis e, nesses casos, fingir não ver não resolverá a situação, eu te garanto.

Escolher as próprias batalhas é agir com estratégia, porque nem todas as batalhas serão vencidas.

Sei que até o momento eu transmiti a ideia de que é preciso enfrentar as conversas difíceis, mas lembre-se do capítulo sobre leitura de cenário. Sabemos que nem todas as batalhas serão vencidas, de modo que nem todas as batalhas devem ser lutadas. Existem situações das quais é melhor desviar; em outras, em vez de longos posicionamentos, uma pergunta pode ser suficiente. Há conversas em que seu posicionamento aparentemente não terá efeito imediato, já que o interlocutor não vai reconhecer ou pedir desculpas, mas esse posicionamento pode ser o suficiente para mandar a seguinte mensagem "Estou vendo você" e inibir a escalada de um problema.

E como ter uma conversa difícil, afinal?

Até aqui o papo foi muito bom, muito bem. Ou melhor, foi bastante esclarecedor (espero). Acredito que consegui explicar o que é uma conversa difícil, seus principais dificultadores, e acredito que você entendeu o que eu quis dizer. Mas como encarar pôr tudo isso em prática na vida real? Como se portar em uma conversa difícil? Como pontuar o que é importante para você sem se deixar levar pelo calor do momento, sem agredir o outro?

É claro que não vou deixar você sem essa parte tão importante do conteúdo. A última parte deste capítulo é totalmente voltada à prática ou, em outras palavras, ao que deve ou não ser feito em uma conversa difícil. Mas, atenção, a linha é tênue entre oferecer soluções práticas e passar receita de bolo. Este conteúdo só será útil se você tiver discernimento para ler cenários e souber adaptá-lo ao seu estilo de linguagem – nada de repetir como um robô, hein? A ideia aqui é apresentar modelos para que você não parta do zero e, então, construa saídas possíveis em conformidade com a sua própria personalidade.

Talvez por termos experienciado mais conduções de conversas difíceis pelo viés negativo do que positivo, identificar **o que não fazer** é mais simples, e é daí que vou começar. Se você evitar os comportamentos mencionados a seguir, garanto que a chance de dar certo será bem maior.

O QUE NÃO FAZER?

- Entrar em uma conversa sem ter clareza do que deseja obter com ela.
- Elevar o tom de voz.
- Usar palavras inadequadas.
- Falar da pessoa e não com ela (fofoca).
- Escalar uma dificuldade antes de tentar resolver diretamente (especialmente questões do cotidiano).
- Falar em nome dos outros. Por exemplo: "Fulana e Beltrana acham você insuportável e estou te contando isso para dar a oportunidade de você melhorar".
- Priorizar a escrita e os meios digitais. De acordo com o Indicador de Alfabetismo Funcional (Inaf) de 2015, apenas 8% dos brasileiros têm proficiência no português, o que significa que a habilidade de interpretação das pessoas envolvidas na conversa pode estar comprometida. Por isso, não se apoie somente no texto; quanto mais recursos você utilizar, mais fácil será para o outro interpretar o tom da conversa (áudio e imagem auxiliam nessa missão).

- Culpar ou atacar pessoalmente – "Você fez errado de novo"; "Você não é competente". Não ataque a pessoa, fale das atividades e das entregas. Por exemplo: "Havíamos combinado essa entrega, o que aconteceu?"; "Essa entrega está com qualidade inferior ao que havíamos combinado em relação a esses pontos e precisará ser refeita".
- Mandar indireta: "Tem gente que..."; "É porque as pessoas..."; "O povo não entende que...". Fale diretamente com a pessoa que precisa ouvir a mensagem. Ainda, se você for gestor, não faça treinamento para uma equipe inteira quando o problema for com dois ou três; nesses casos, a melhor ferramenta é o feedback. Justamente por ter vivido na área de treinamento, digo que muitas vezes a pessoa que precisa do treinamento sai exatamente como entrou e, ainda por cima, achando que foi uma perda de tempo, por não reconhecer a necessidade de aprender o que foi apresentado em sala de aula.
- Generalizar: "tudo", "nada", "sempre". Seja específico e apresente exemplos.
- Ser subjetivo: "Eu esperava mais de você"; "Aqui tem que ter sangue nos olhos". Explique de forma objetiva e, de preferência, com exemplos o que você espera ou o que você compreende que possa potencializar a interpretação de uma expressão como "ter sangue nos olhos".
- Emitir falas que gerem ansiedade. Exemplo: chegar na sexta-feira e dizer "Na segunda tenho um assunto bem sério para tratar com você". Lembre-se de que as pessoas estão ansiosas, ninguém merece esse tipo de suspense. Se puder, evite!

Outras dicas (tão valiosas quanto)
- Você tem direito de falar e, por vezes, precisará ouvir – tenha consciência disso.
- Fale, pergunte, se posicione no início. Por vezes, deixamos o problema escalar a um ponto em que ele se torna muito difícil gerir.

- Não afirme sobre o outro – "Fulano é..." – prefira usar palavras como: "demonstrou", "entregou", "evidenciou", que indicam algo situacional.
- Se você quer aumentar as chances de entrega, estabeleça combinados.
- Ao lutar por algo para você, não use os colegas como argumento. "Fulano trabalha menos do que eu"; "Beltrano ganha mais do que eu"; "Você trata Sicrano melhor e ele vive errando" – você pode soar infantil e desagregador. Fale sobre você, sobre suas necessidades, e utilize informações que são de acesso a todos.
- Quem traz o problema traz junto a solução. Anos atrás, um gestor me disse (mais ou menos com estas palavras): "Paula, se um subordinado só aparece na mesa do gestor para reclamar, falar mal, achar defeito, por mais que aquilo que ele diga seja verdade, logo, logo, ele será visto como o problema, a pessoa difícil. Quem aponta o problema deve trazer junto a solução". Com isso, ele estava falando de postura, demonstrando a postura que é mais bem aceita no mundo do trabalho a fim de pontuar algo que precisa ser corrigido. Idealmente, devemos: a) descrever a situação; b) apresentar os impactos no negócio, no processo ou em nós; c) explicitar o que se entende ser a resolução da situação (isso não significa fazer pelo outro); por fim, d) estabelecer um novo combinado válido daquele momento em diante. Trata-se de uma linguagem mais fria, isto é, mais pragmática e focada em resolução. Lembre-se de que empresa não é lugar para DR. Entrar em uma conversa só para reclamar e desabafar nem sempre vai ser efetivo ou bem-visto.
- Não é o que falamos, mas como falamos que determina como seremos interpretados. A importância da forma no mundo do trabalho é tão grande que, mesmo quando defendemos o certo, se o fizermos no tom errado, logo seremos acusados de perder a razão. A racionalidade e a argumentação lógica são muito valorizadas no trabalho.

- Escolha o melhor momento. Para ilustrar, vou contar uma situação que aconteceu comigo anos atrás. Eu estava ministrando um treinamento na empresa em que trabalhava e, durante o intervalo de cinco minutos, uma colega me puxou de canto e me disse com uma cara assustada: "Paula, não fique brava comigo, mas eu preciso te falar uma coisa". O tom era tão urgente que me perguntei o que eu tinha falado de errado. Tensa, segurei a respiração e esperei que ela concluísse: "Sua calcinha está marcando na saia, chama muito a atenção, você não deveria usar roupas assim no trabalho". Agradeci sorrindo amarelo e pensei o que diabos ia fazer. Precisava terminar o treinamento, não tinha como ir até o banheiro checar a tal calcinha, não tinha como pedir uma blusa para amarrar na cintura – a única coisa possível era aguentar firme e terminar o treinamento. Foi o que fiz, tensa e envergonhada. Nem vou entrar no mérito se a calcinha estava ou não marcando; o ponto é: se você não pode ajudar o outro a resolver o problema que você aponta e se o outro não pode se ajudar, talvez não seja o melhor momento para o feedback. Nada poderia ser feito naquele momento, então por que não esperar até o final do treinamento? Com certeza eu teria terminado mais confiante e sofrido menos.

Agora que você completou mais este capítulo, entende que poderia agir melhor em algum aspecto? Liste a seguir o que você fará diferente daqui em diante ao conduzir conversas difíceis:

_____

_____

_____

SEGREDO REVELADO:

por vezes, a conversa que você evita é a que pode te fazer crescer.

CONVERSAS (NEM TÃO) DIFÍCEIS

6

ESTABELECENDO OS SEUS LIMITES E DIZENDO OS SEUS NÃOS
✱ ✱ ✱

❝Na verdade, passamos a vida toda aprendendo a dizer não.❞
(Gil Nunes)

TEMOS MEDO, POR ISSO NÃO DIZEMOS NÃO?

"Se eu disser não, vou ser demitido!"; "Me posicionei e fui punido"; "Manda quem pode, obedece quem tem boleto para pagar". Escuto essas frases sempre que a temática é dizer não e estabelecer limites. O fato é que um dos maiores impeditivos do não é o medo. Medo de ser mal interpretado, medo do conflito, medo de perder uma oportunidade, medo de criar mal-estar nos relacionamentos, além do medo, claro, de perder o emprego. Como RH, afirmo que nunca vi uma pessoa ser desligada porque disse um não. Uma demissão, de modo geral, é um processo demorado e costuma ser a consequência de um conjunto de atitudes e comportamentos (sei que existem exceções e situações bizarras no mercado, mas, ainda bem, não passam disso, exceções e bizarrices).

Outra razão para evitar dizer não (essa é menos óbvia) é o ganho secundário que se obtém ao dizer sempre sim. Esse ganho tem a ver com a forma como os outros nos veem. Geralmente, pessoas que sempre dizem sim são vistas como boazinhas, gentis, legais e que dão conta. Isso gera nelas uma satisfação e, por consequência, elas se mantêm nessa posição. Usar o não é passar da posição de bonzinho para a de bom. Ser bom é ser justo, consigo e com o outro. Não existe justiça só com sim, assim como não existe só com não: o equilíbrio é a resposta para esse dilema.

> Antes de continuar a leitura, responda: quais são as pessoas que você mais admira profissionalmente? Essas pessoas comunicam seus nãos e seus limites? De que forma elas o fazem?
>
> _____
>
> _____
>
> _____
>
> _____

DIZER NÃO É ESTRATÉGICO PARA A SUA CARREIRA

Para chegar ao topo, é preciso priorizar tarefas, estabelecer limites e ter posicionamento firme em momentos difíceis, e, sem o não, nada disso é possível.

Devo dizer que nunca conheci uma diretora, um CEO, uma VP que chegou ao topo dizendo apenas sim, concordando com tudo.

UM DOS MAIORES IMPEDITIVOS DO NÃO É O MEDO.

Geralmente, esses líderes são pessoas que se posicionam, e provavelmente foi por isso que não apenas sobreviveram, mas cresceram em suas empresas.

Talvez você tenha aprendido que as pessoas que crescem são as mais dispostas, aquelas que estão prontas para entregar tudo de si. No entanto, sou obrigada a discordar; qualquer coisa em excesso pode ser ruim, e isso vale também para o excesso de presteza e disponibilidade – o excesso de sim pode causar um efeito negativo, um efeito de perda de valor. Pois é. O excesso de disponibilidade pode passar a impressão de que você faz menos do que realmente faz, que o que entrega é mais fácil do que realmente é, e, claro, que não há limites, que você vai entregar não importa quando, como e onde. Tipo: "Pede para Fulano que ele faz rapidinho".

Se você já ouviu essa frase ou outra nesse sentido sobre você, é possível que sinta que faz mais do que os seus colegas que são promovidos. Acertei? Infelizmente, isso é comum. Contudo, devo dizer que, na maior parte das organizações em que trabalhei, os funcionários que mais recebiam promoções e oportunidades eram aqueles que demonstravam que a qualquer momento poderiam não estar mais ali. Não eram funcionários que se entregavam à empresa de um modo sem limites ou sem reservas; eram, isto sim, estratégicos no dar e no tomar.

Até aqui, tentei usar os meus melhores argumentos, mas é possível que nenhum deles seja suficiente para fazer você proferir os seus primeiros nãos. A verdade é que a nossa capacidade de dizer não e comunicar limites no trabalho é diretamente proporcional ao dinheiro que temos na conta. Você pode ter a técnica, pode saber o jeito certo, pode ter razão, mas, quando precisa e não tem reserva financeira (realidade da grande maioria), o medo toma conta, se torna algo maior, irracional, e realmente o impede de dizer não. É nesses momentos que aceitamos o inaceitável por medo de nos posicionar. Já adianto:

priorizar a formação de uma reserva financeira e ter um plano B é o que talvez mais contribua para o seu não sair.

Mas que não é esse?

O não que proponho que você aprenda a usar é o não de um adulto (isto é, um não que tem embasamento, um porquê). Não estou falando do não que uma criança de 2 anos diz para um alimento que não quer provar, para o amiguinho de quem ela não gosta, para a sugestão de dividir um brinquedo ou para uma regra que os pais estabeleceram. De fato, o profissional que diz não o tempo todo, sem embasamento ou motivo, passa a ser visto como mimado, resistente ou difícil. Sendo assim, evite falas como: "Estou sobrecarregado e a Fulana não está fazendo nada!"; "Não vou fazer isso, não vou ganhar a mais pra isso". Essas falas transmitem reatividade. Se você está sobrecarregado, fale sobre essa sobrecarga: é ela a informação relevante – o que seu colega faz ou não é dever do seu gestor gerir. Sobre ganhar a mais ou não: você tem a opção de fazer a mais, apresentar resultados e pedir um aumento, ou de pedir ajuda ao seu gestor na priorização das tarefas. É necessário agir como adulto: adulto negocia, apresenta fatos, argumenta. Reclamar, alfinetar, fazer cara feia são atitudes de criança!

Se o não de adulto é um não embasado, carregado de reflexão, é natural que ele não seja sempre igual. Existe o não inegociável, aquele que damos diante de algo que nos fere em algum valor. Existe o não como limite, que muitas vezes damos em tom educativo (para informar ao outro de um limite que é nosso). Existe ainda o não de negociação, com o qual se nega o pedido inicial, mas que é acompanhado de uma alternativa que seja mais confortável para você (esse é o não mais comum nas empresas). Exemplo: "Desse modo, não consigo te ajudar, porém posso contribuir com você desse outro jeito". Esse último tipo de não me lembra muito aquele comercial da Pepsi de anos atrás: "Só tem Pepsi, pode ser?". Sei que há os fãs absolutos de Coca-Cola, mas sempre existirão pessoas como eu, que tomam qualquer refrigerante de cola e que ficarão satisfeitas com a alternativa. Nas empresas, como geralmente o foco está na agilidade e na resolução, embora exista o ideal, se ele não for possível, o bom costuma servir.

Ao dizer não para uma coisa, você abre espaço para dizer sim a muitas outras. Permita-se dizer não e se posicionar.

A seguir, vou listar algumas das diversas formas de dizer não. Perceba que há um exemplo que começa com "sim" – isso é uma boa técnica para empresas "negafóbicas" (veja o boxe). Em outro, o não é um pedido de ajuda para priorizar as demandas, afinal cada um tem uma capacidade limitada de entrega. Ainda existe o não que direciona o interlocutor ao verdadeiro responsável pela atividade – especialmente importante para quem costuma se responsabilizar por várias demandas e depois não compreende como ficou tão sobrecarregado (atenção: nem sempre é a empresa a responsável por isso). Repare também que é possível dizer não sem usar a palavra não. Veja:

- "Dessa forma não consigo atender, mas posso [complete com uma alternativa]".
- "Sim! Posso ajudar. Qual das entregas que tenho em mãos você gostaria que eu priorizasse?"
- "Claro, posso ver isso amanhã no primeiro horário".
- "Para não correr o risco de passar uma informação errada, vou sugerir que fale com o Fulano, ele é o responsável por esse processo".

- "Vou analisar o que você me pediu e volto assim que tiver uma resposta".
- "Não me sinto confortável de [coloque aqui a atividade] por causa de [coloque aqui os motivos]".

Negafobia, ou o incômodo diante do que é negativo

Aprendi com Robert McKee que o mundo corporativo sofre de uma "doença" que ele nomeia como "negafobia", que nada mais é do que o medo de tudo o que é negativo (erros, falhas, nãos). Essa visão fez muito sentido para mim, pelos motivos que apresentei no Capítulo 3. É possível perceber, na prática das empresas brasileiras, a tendência a suavizar os discursos para que soem mais agradáveis e positivos. Por mais que eu seja contra essa abordagem, preciso considerar que esse traço da cultura será incorporado aos seus posicionamentos e estratégias de comunicação; por vezes, o não dará voltas, virá entre um sim e uma nova solução.

Dica: se você já recebeu o feedback de que é uma pessoa resistente, evite negar de imediato. Ouça o outro até o final, sem interrompê-lo. Use o sim e argumente em seguida. Em vez de falar não para propostas, projetos e novas demandas que o seu chefe quer te dar, experimente falar sim e, no lugar do "mas" que contradiz o sim, opte pelo "e". A partir daí, negocie prazo, tempo, recurso etc. Por exemplo: "Sim, vamos fazer, **e** eu quero ver com você como ficam os prazos dessas atividades que estou tocando" ou "Sim, posso te ajudar, **e** gostaria de pedir esses recursos aqui que vou precisar para executar essa tarefa". Dizer não e justificar parece a mesma coisa, mas é completamente diferente de dizer sim e pedir os recursos de que você precisa ou expor as suas necessidades. Se você é visto pela sua gestão como uma pessoa resistente, experimente esse modelo. Garanto que ele fará diferença!

O mercado não tem limite, mas você tem!

A DIFERENÇA ENTRE COMUNICAR E IMPOR

No capítulo anterior, expliquei a importância de estar atento às suas emoções, inclusive as tidas como negativas. A emoção pode ser uma ótima pista para as nossas necessidades. E por que estou falando isso? Porque reconhecer o que é necessário para você ajuda na comunicação dos seus limites. Se alguma atitude ou fala fere uma necessidade sua, isso precisa ser comunicado. Preste muita atenção na palavra que usei: "comunicar", e não "impor". Sei que falamos muito em "impor limites", mas, pensando em abordagem, vejo uma grande diferença entre essas palavras. "Comunicar" indica algo em que acredito: só quem sabe o nosso limite somos nós. Cada um é um – o que me incomoda não necessariamente te incomoda, e vice-versa. Se não há comunicação, não há como o outro saber. Lembre-se de que o óbvio não existe, a não ser que estejamos falando de algo que fere a lei, a norma, o compliance da empresa, já que aí se trata de algo que é (ou deveria ser) de conhecimento de todos.

Vejo, então, o limite como uma placa de sinalização necessária, um sinal que emitimos ao outro daquilo que é necessário para nós. Esse limite é mais que desejável, é fundamental para a manutenção da sua saúde física e mental. O mercado pode não ter limites, mas você tem.

Um erro que muitas vezes cometemos na relação com o outro é acreditar que não falar nada é a melhor atitude. Que o outro perceberá por conta própria que invadiu um limite. Não quero ser portadora de más notícias, mas a chance de isso acontecer é pequena. Se nos sentimos invadidos ou agredidos e não falamos nada, a tendência é que o comportamento do outro que nos fez sentir assim não apenas não cesse, como escale.

SERÁ QUE EU NÃO ESTOU EXAGERANDO?

Algumas pessoas têm uma enorme dificuldade de compreender quais são os seus direitos, seja em decorrência de uma educação rígida, que ensinou muito sobre dever e obediência e pouco sobre direitos e limites – a típica criação que forma bonzinhos –, seja por um desconhecimento sobre leis, normas, compliance – o que é muito comum, mas não deveria ser, afinal é o mínimo que você deve saber para ter segurança em se posicionar. Qualquer que seja o motivo, o que você precisa fazer é reconhecer e agir: buscando informação ou internalizando a máxima **"eu tenho o direito de sinalizar para o outro a forma como gostaria de ser tratado"**.

Dito de outra forma: você não é obrigado a se sentir confortável ao ser chamado de "querido", "mocinha", "florzinha"; você não precisa rir de piada machista; você não precisa dizer sim para uma demanda que chega no seu WhatsApp às 22h30 de sexta-feira (quando isso não está previsto em seu contrato e você avalia que não é algo urgente, mas decorrente da ansiedade de quem demanda); você não precisa estar disposto a ouvir fofocas e falas negativas sobre os outros. E, ainda que tentem invalidar as suas necessidades ou o acusem de ser sensível ou "mimizento", lembre-se de que a única coisa que você está pedindo é para ser tratado de uma maneira com a qual se sinta confortável. Quem reage a um pedido tão simples acusando ou agredindo somente evidencia uma postura manipuladora pela qual tenta inverter o jogo e te fazer se sentir mal por um pedido que não tem nada de errado. Não permita!

VOCÊ PODE COMUNICAR SEUS LIMITES!

Para comunicar com menos resistência e mais eficiência, lembre-se de evidenciar as suas necessidades sem acusar o outro. Na maior parte das situações, você pode se utilizar de uma estrutura constituída pelas seguintes etapas: descrever a situação, relatar o impacto e combinar um novo comportamento dali em diante[2]:

1. Descrever a situação: "Na situação tal, houve tal fala";
2. Relatar impactos ou necessidades (do negócio, do processo ou suas): "Isso me deixou desconfortável porque..."
3. Novo combinado de comportamento: "Gostaria de combinar com você que a partir de hoje...".

A seguir, trago alguns exemplos de falas que podem incomodar e possíveis respostas que estabelecem limites (adapte-as sempre ao seu estilo):

"Gatona..."
"Você pode me chamar pelo meu nome? Eu prefiro assim."

"Tinha que ser mulher..."
"Por favor, fale das minhas entregas e resultados. Meu gênero não tem nada a ver com isso."

---

[2] Com base em: Rosenberg, Marshall B. *Comunicação não violenta*: Técnicas para aprimorar relacionamentos pessoais e profissionais (Editora Ágora, 2006).

"[Interrompendo] Mas eu acho que..."
"Por favor, aguarde, ainda não terminei de falar..."

"Não vai chorar, hein?"
"Senti um tom desrespeitoso em sua fala. Por favor, não fale dessa maneira comigo."

"O fulano é péssimo! Sempre criando problemas, olha o que ele fez agora..."
"Eu não me sinto confortável de ouvir sobre o que aconteceu, afinal eu não estava presente na cena. Sugiro que fale diretamente com o Fulano, assim vocês podem esclarecer o mal-estar, o que acha?"

"Você é muito sensível, não dá para falar nada!"
"Não é a sua percepção sobre mim o foco da nossa conversa. Fiz um pedido de mudança de postura e quero saber se posso contar com você. Posso?"

"Isso é ridículo, você não sabe o que está falando."
"Entendo que você possa discordar, mas, por favor, peço que mantenhamos um tom respeitoso e construtivo."

"Isso é fácil, você já deveria saber!"
"O que é fácil para você pode não ser para mim. Você pode me ajudar?"

NÃO TENHA MEDO DO CLIMÃO!

É absolutamente normal, quando nos posicionamos, dizemos não ou simplesmente agimos de uma forma diferente do habitual, que o outro se incomode, se frustre, se chateie. Não crie expectativas irreais sobre a reação do outro, não cobre uma reação feliz. Precisamos encarar com naturalidade a frustração alheia, ela faz parte do processo, que demanda um tempo de processamento. Respeite esse tempo, mas sustente a sua posição; talvez a culpa te faça querer recuar, mas, se você o fizer, estabelecerá uma comunicação ambígua, confusa. Sustente o "climão", deixando ao outro o que é do outro. Ao se posicionar, em teoria, você resolveu o conflito, logo siga tratando o outro normalmente (ainda que ele não consiga fazer o mesmo de imediato).

COMECE PELOS PEQUENOS NÃOS E LIMITES

Você já deve ter reparado que é muito mais fácil estabelecer limites e discordar dos colegas do que dizer não ao seu gestor. Isso porque, no primeiro caso, trata-se de uma relação de mesmo nível hierárquico, ou seja, de mesmo nível de poder. E você pode usar isso a seu favor. Como? Testando primeiro os diversos tipos de não em ambientes onde você se sente mais seguro, com pessoas que também lhe despertam segurança e confiança. Talvez você perceba, ainda, que tem mais facilidade em treinar a comunicação de limites com pessoas com as quais não tem vínculo afetivo, e tudo bem! O que importa aqui é começar e eliminar da mente o fantasma de que, ao estabelecer limites, você será punido ou penalizado.

E QUANDO FOGE DA NORMALIDADE E SÓ CONVERSAR NÃO ADIANTA?

Situações de assédio moral e sexual demandam outra postura, como discutimos no capítulo 4. Se você está passando por situações assim, fale com as pessoas da sua confiança (e de fora da empresa); não se isole, não guarde para você. Busque ajuda psicológica (se a situação estiver afetando o seu emocional) e a orientação de um advogado trabalhista. Infelizmente, por vezes, a vítima é penalizada e silenciada, por isso mesmo que é preciso estar muito bem orientado e amparado. Um advogado poderá apresentar opções de ação, o risco e o ganho de cada uma, o que é preciso em termos de provas. Em geral, entre as opções possíveis, estão: relatar por escrito ao RH o que está acontecendo (salve esse *print*); denunciar ao compliance da empresa; denunciar (de forma sigilosa) ao Ministério Público do Trabalho e até mesmo entrar com pedido de rescisão indireta (em que o empregado é desligado pela empresa com todos os direitos garantidos). Cada caso é um caso. O mais importante é saber que é preciso agir. Eu sei que há o medo, mas não fazer nada não resolverá a situação.

SEGREDO REVELADO:

o não é tão estratégico para a sua carreira quanto o sim.

7

FEEDBACK É MESMO UM PRESENTE?
❋ ❋ ❋

Ah, eu me lembro como se fosse ontem! Estava acompanhando como RH um treinamento de feedback para líderes, e o palestrante soltou a seguinte frase: "Feedback é como um presente". Lembro-me de ter revivido mentalmente alguns dos feedbacks (ou f0db@cks) que recebi na vida e perguntar a mim mesma: "Sério? Para quem?".

Anos depois, meu marido, que sempre me presenteia com analogias e palavras de calma quando estou no auge do estresse, compartilhou comigo: "Paula, dar um feedback é como dar uma pedra preciosa a alguém, você a coloca em uma caixa, embrulhada em um papel bonito e entrega com cuidado. Não é algo que você taca na cara do outro, afinal, desse jeito, pode machucar". Era a segunda vez que ouvia uma analogia envolvendo feedbacks e presentes, mas, dessa vez, fiquei com a sensação de que eu mesma não era tão jeitosa com as palavras como gostaria.

A verdade é que a maioria de nós não aprendeu a comunicar de uma forma saudável seus desconfortos, angústias, necessidades e pedidos. Como vimos, aprendemos muito da nossa comunicação no ambiente de casa. Alguns aprenderam a calar; outros, a falar tudo sem cuidar sobre como o interlocutor será impactado. Ainda existem aqueles que aprenderam a se esquivar de qualquer coisa que se assemelhe a um conflito. Por isso, o tema feedback ainda é um desafio em geral, e também é por isso que temos um capítulo totalmente dedicado a ele.

A FRUSTRAÇÃO DE NÃO RECEBER FEEDBACK

Foram incontáveis as vezes que, como RH ou mentora, ouvi: "O meu chefe não me dá feedback!" ou "Fica difícil se desenvolver quando ninguém dá retorno sobre o seu trabalho". Isso é realmente frustrante, concordo, até porque já estive nesse lugar – acredito que a maioria de nós esteve. Idealmente, faz parte das atribuições mais básicas do gestor dar feedbacks, ter certa regularidade nessa prática, desenvolver e manter seus rituais, fazer gestão de pessoas. Mas, a esta altura do campeonato, já sabemos que, entre o ideal e o real, pode haver um abismo.

Por isso, precisamos fazer um combinado: **reclamar de não receber feedback** não é mais uma opção. Você é dono da sua carreira, não é? Você é o maior interessado em saber sobre a evolução do seu trabalho, certo? Então, não fique esperando o feedback chegar, tome você a frente e o solicite. É do seu interesse que o seu trabalho seja avaliado, que os seus erros sejam apontados para poder corrigi-los, assim como seus acertos, para seguir crescendo. Não fuja desse momento. Ao contrário, corra em direção a ele.

Feedback é um ótimo pretexto para mostrar o seu trabalho.

Feedback é retorno sobre o trabalho e pressupõe troca, valorização do positivo, aprendizado, correção de rotas. Pressupõe também uma via de mão dupla; assim como podemos receber, podemos dar. Existem feedbacks que eu costumo chamar de informais, que são aqueles que acontecem no dia a dia – "Muito bom!"; "*Top* a sua apresentação, viu?"; "Cuidado com isso da próxima vez". Esses feedbacks são interessantes, mas geralmente não são registrados por quem recebe. Também costumam ser mais vagos, uma vez que não especificam o que foi muito bom, o que na apresentação foi *top* ou quais são as consequências de não tomar cuidado com algo.

Já os feedbacks formais têm certa cerimônia, um ritual, uma frequência, e neles temos a oportunidade de nos aprofundar. Eu acredito ser extremamente necessário que momentos assim aconteçam com regularidade. Indico um mínimo de uma vez por mês (isso pode variar para mais ou menos de acordo com a complexidade e a dinamicidade da tarefa).

Estamos acostumados a pensar no feedback dentro de uma lógica mais operacional e rotineira. Contudo, esse momento também pode ser um ótimo pretexto para você mostrar o seu trabalho e, assim, é bastante estratégico. A gestão em geral não sabe dos detalhes daquilo que fazemos. E pode ser que o seu perfil seja o de quem faz muito e fala pouco, ou seja, o de quem se dá pouca visibilidade... O momento do feedback passa a ser, então, o momento de resgatar os seus principais feitos, resultados e entregas.

Por fim, o seu feedback não precisa ficar restrito à sua gestão. Lógico, o feedback da gestão direta é fundamental, mas pode ser que, mesmo com as boas práticas que vou indicar neste capítulo, você não consiga um retorno dela. A boa notícia é que o seu desenvolvimento não precisa parar por isso. Nós precisamos ser mais criativos e ousados – sempre levando em consideração o contexto, as motivações, o modo de falar – se realmente queremos crescer na carreira, por isso peço que você se abra para a possibilidade de pedir feedback a seus pares, clientes internos, outras gestões e, claro, o RH. Ainda, fora da empresa, existem mentores, pessoas que admiramos, colegas de profissão que também podem ser apoio para nosso desenvolvimento.

SABER PEDIR, SABER RECEBER

Você decidiu pedir um feedback para sua gestão e conseguiu. Tanto quanto para pedi-lo, é preciso estar preparado para recebê-lo. Pois é, nem sempre nossa postura é a melhor ao receber um feedback.

Voltando à analogia do presente, também é preciso gentileza para receber, já percebeu? Lembra de quando você era criança e sua tia chegava com uma embalagem bonita e você se enchia de expectativas para, ao final, descobrir que o presente era uma meia? E que, mesmo o presente não tendo atendido ao que você esperava, a sua mãe sempre dizia para você agradecer? Ou quando, já na vida adulta, você ganha uma roupa de presente e num primeiro momento não gosta, mas, após chegar em casa e experimentá-la com calma, passa a achar que ficou boa? Então, o feedback funciona mais ou menos assim.

Ainda que ele não seja o presente que esperávamos, é preciso educação para agradecer e tempo para avaliar se serve ou não. Digo isso porque pode ser que seja apontado a você um ponto cego, algo que os outros percebem, mas você ainda não. E a tendência natural nessa situação é rebater, às vezes até interrompendo a fala do outro. E é nesses momentos que criamos a fama de sermos resistentes – porque, de fato, nessa ocasião manifestamos resistência. Muitas vezes, precisaremos de tempo, e está tudo bem dizer: "O que você me trouxe me surpreendeu, preciso de um tempo para refletir sobre isso, podemos voltar a falar amanhã?".

Esse tempo pode ser usado para pensar, estruturar sua fala e talvez até levantar pontos para serem esclarecidos ou questionados. E lembre-se: quando não temos controle emocional em uma situação, dar um passo para trás é uma atitude estratégica.

O momento do feedback não é um bicho de sete de cabeças, e, para torná-lo ainda mais simples, fiz um pequeno guia para você.

1. Pré-feedback

Se o pedido partir de você, formalize-o em um e-mail para o gestor; no e-mail, já adiante o assunto. Saiba avaliar se é o momento correto (leitura de cenário).

Você pode usar um texto parecido com este (coloque-o nas suas palavras):

"[Nome do chefe], tudo bem?

Gostaria de marcar um horário na sua agenda para falarmos sobre o meu trabalho (ou sobre: meu projeto/minha entrega). Ter um feedback seu é fundamental para saber se o meu trabalho vem sendo bem realizado e se estamos alinhados. Podemos conversar sobre isso? Você teria disponibilidade no dia [completar com dia e hora]?"

A reunião pode ser presencial ou on-line. Se for on-line, ligar a câmera pode contribuir muito para a interpretação do que está sendo dito e para a conexão com o outro.

2. Prepare-se

Marcada a conversa, prepare-se. O que você quer obter dessa conversa? Você quer somente confirmar que está no caminho certo? Quer tirar dúvidas? Quer propor novas ideias? Essa clareza é fundamental. Com isso em mente:

- **Tenha indicadores e evidências.** Se a empresa não os tiver, crie os seus (a internet existe para isso, nela há informação sobre tudo, aprenda a pesquisar). Mostre com dados o que você vem fazendo, o que alcançou, as melhorias que atingiu. Embase suas falas com evidências, isso dará peso ao seu discurso.

Se você foi chamado para o feedback, é a sua vez de pedir a seu chefe que adiante o assunto; algo como: "Ok, chefe! Você poderia adiantar sobre o que vamos falar, para que eu possa me preparar para a nossa reunião?". Aproveito a oportunidade para fazer um alerta, um pedido: querido leitor, seja você chefe ou subordinado, sempre adiante os assuntos das reuniões, não só de feedback. O Brasil sofre de ansiedade, nesse ranking – países mais ansiosos do mundo – infelizmente estamos nas primeiras posições, e, apesar disso, ainda existem profissionais que acham que o momento do feedback deve ser conduzido como se fosse um chá revelação. Não faça isso! A previsibilidade é necessária para criar um ambiente com segurança psicológica e bom para se trabalhar.

3. No momento do feedback

A dinâmica depende de quem convocou o momento, que é a pessoa que começa falando. Independentemente disso, algumas dicas podem ser úteis:

- **Fale sobre você, o seu trabalho, as suas demandas, as suas necessidades.** Qualquer coisa que fuja dessa linha e que não seja crucial pode soar como fofoca e imaturidade de sua parte.
- **Peça um retorno concreto do seu chefe.** Não tenha medo de perguntar a ele o que acha do seu trabalho, o que achou das suas iniciativas e como ele pode ajudá-lo a melhorar.
- Fique calmo, controle o corpo e a respiração. Tome o cuidado de deixar os braços e as pernas descruzados. Isso vai comunicar que você está aberto ao que o outro tem a dizer.
- Se você pediu por esse momento e vai conduzi-lo, lembre-se de fazer validações para ter certeza de que o outro está na mesma página que você. Por exemplo: "Faz sentido que...?"; "Já tinha percebido que...?"; "Você vê isso da mesma forma?".
- Ouça para entender, não para responder.
- Não rebata de imediato, você não precisa ter as respostas na ponta da língua. Seu chefe pode falar a coisa mais absurda do mundo, mas, antes de negar, tente entender o que o levou a pensar assim. Por mais absurdo que lhe pareça, para ele aquilo

é uma verdade. Acolha o que é dito, peça exemplos e argumente ponto a ponto. Busque ser racional e calmo.
- Aceite os elogios. "Obrigada por ter percebido que..."; "Que bom ter o seu reconhecimento"; "Fico feliz que tenha notado que..." Lembre-se de que você trabalhou duro para ser reconhecido, então aprecie o momento e demonstre que valoriza o ato de ser valorizado pela gestão.
- Só saia do feedback com os acordos bem definidos ou com os próximos passos combinados. Quais são as metas? Como você vai alcançá-las? Quais habilidades você precisa desenvolver para chegar aonde quer? Quais erros deve corrigir?

Pós-feedback

- **O relacionamento continua.** Busque ter maturidade para tratar a pessoa normalmente após o momento do feedback. Não há motivo para climão ou constrangimento.
- **Se não funcionar, retome o combinado.** Sempre me perguntam o que fazer quando um feedback não "funciona". Gostaria de dizer que todo ser humano é capaz de aprender da primeira vez, mas não é sempre assim que acontece. Por isso, os acordos são necessários. Seja você subordinado ou chefe, se o combinado na reunião de feedback não funcionou, é preciso retomá-lo. Algo como: "Lembra o que combinamos em nosso último feedback? Percebi que não tem sido cumprido, o que aconteceu?". Então, se você for o chefe, reafirme o combinado e explique as consequências de ele não ser cumprido da forma como foi solicitado – por exemplo: "Caso isso continue não sendo cumprido, você estará sujeito a receber uma advertência por escrito ou até mesmo a ser demitido". No caso de você ser subordinado, busque reafirmar o combinado com a gestão ou, dependendo do assunto e da gravidade, escale a questão (peça ajuda ao gestor de nível superior ou ao RH).

Regras de ouro

Ao longo da jornada, vamos aprendendo algumas regras de ouro que aumentam a chance de sucesso no processo de feedback.

Elas vão desde tomar cuidado com a escolha das palavras até evitar um tom acusativo, passando por preferir comunicar uma necessidade a reclamar sobre uma falta. Eu listei a seguir algumas dessas regras de ouro, que podem ser usadas tanto por subordinados quanto por gestores:

Prefira...	a...
trazer exemplos que foram observados.	divagar sobre especulações ou percepções.
ser objetivo e claro.	usar eufemismos.
oferecer ajuda.	só apontar o que não funciona.
falar em seu próprio nome.	falar em nome dos outros.
comparar uma pessoa com ela mesma.	comparar uma pessoa com outras.
dar espaço para o outro falar.	não permitir que o outro fale.
respeitar o tempo necessário para o outro absorver o que é dito.	pressionar para ter uma resposta rápida.
comunicar suas necessidades ("Eu preciso de prazo para me organizar melhor").	reclamar sobre o que o outro não faz ("Você não dá prazo para as atividades!").
usar expressões como "Eu percebi", "Eu observei".	usar expressões como "Me falaram", "Estão dizendo por aí".
dizer "Você não demonstrou [substantivo]" ou "Nessa entrega está faltando [substantivo]".	dizer "Você não é [adjetivo]".

Um ponto que costuma gerar dúvidas é a substituição do "Me falaram" por "Eu observei". É muito delicado dar um feedback sobre algo que você não presenciou. Podemos usar a informação que foi recebida como "pista", contudo é preciso buscar confirmá-la (geralmente, existem meios para isso). Também não podemos esquecer que, para ser bom, o feedback é dado de A para B. Não pode ser A falando em nome de C para B. Esse tipo de intervenção só se justifica em casos extremos, que fogem da normalidade (como um caso de assédio). Quando um funcionário reclama para um chefe de algo pequeno, cotidiano, esse gestor precisa orientar e desenvolver esse funcionário para que ele próprio consiga dar esse feedback. Se você for o funcionário que sempre aciona o gestor para tratar de pequenas rusgas ou dificuldades com os colegas, saiba que pode estar comunicando uma imagem infantil. Só escalamos questões banais que já tentamos resolver e não conseguimos. Lembre-se disso!

Via de mão dupla

"Paula, posso dar feedback para o meu colega? Para o meu chefe?" A resposta é sim! Se o feedback for positivo, abuse dessa ferramenta! Se for corretivo, use principalmente quando a ação desse colega ou chefe impactar você e seu trabalho de forma direta. Agora, se o feedback corretivo envolve questões alheias, sugiro cuidado. A leitura de cenário é fundamental nesses casos. É preciso entender se o seu ato será bem interpretado ou se você será visto como intrometido ou como uma pessoa que está tentando desempenhar um papel que não lhe cabe – como quando você dá um feedback de performance a um colega que, em teoria, tem uma gestão para isso.

Gosto muito de certa estrutura quando vou dar feedbacks corretivos de modo mais informal, que é a estrutura do "Você me permite?". Se a pessoa diz sim, ela está mais aberta para receber o que você vai falar. Esse pequeno ato muda muito a forma como o outro vai ouvir o que você tem a dizer.

QUANDO O FEEDBACK É UMA PEDRA PRECIOSA TACADA NA SUA CARA

Nem sempre os feedbacks que receberemos serão embrulhados com o cuidado que meu marido defendeu na analogia que me contou. Mas nem por isso eles deixam de nos ensinar, seja sobre nós mesmos, sobre o outro, sobre o que fazer, sobre o que não fazer, sobre limites e sobre respeito.

Recebi, ao longo da minha jornada, feedbacks muito duros e tenho certeza que você também. Sairá na frente o profissional que aprender a extrair o melhor do pior. Podemos até nos encolher em posição fetal por algumas horas (faz parte), mas, depois do impacto, precisamos reagir extraindo o melhor da situação. Não controlamos o que recebemos, mas controlamos a nossa reação ao que recebemos.

SEGREDO REVELADO: corra em direção aos feedbacks. Eles te farão crescer!

NÃO ROMANTIZE A SUA GESTÃO
✳ ✳ ✳

Querido leitor, se tem uma coisa que me deixa apavorada e me dá uns três tremeliques na espinha são posts nas redes sociais que idealizam, romantizam ou simplificam a figura do gestor. Em geral, esse tipo de conteúdo é constituído de uma foto inspiradora ou de um comparativo clássico entre as figuras do chefe e do líder e, claro, de um texto cheio de clichês e frases prontas com várias regras para você se tornar o "líder ideal". Nunca encontrei na vida real o líder dos posts, você já? Tenho para mim que esse processo de romanceação, de idealização é causa de frustração para muitas pessoas. Pesquisas indicam que, em média, 8 a cada 10 funcionários se demitem por conta da gestão. Entendo que existem gestões assediadoras, tóxicas, das quais, por questão de preservação da saúde mental, não resta opção senão se afastar. Mas o número me parece alto demais. Quando penso nas pessoas que atendi e nos erros que cometi, percebo que não é necessariamente de gestões altamente danosas que estamos nos demitindo, mas de gestões que apenas não atendem ao ideal que aprendemos a ter.

Você já parou para pensar o que essa cultura do líder ideal gera, de fato? Eu vejo muitos problemas nessa construção e quero trazer algumas dessas questões para você refletir comigo. Apenas quero deixar bem claro que, neste capítulo, não estou falando de gestões assediadoras, ok?

O IDEAL DO LÍDER PERFEITO E SUAS CONSEQUÊNCIAS

Líder bom é aquele que não erra, não tem atitudes antiéticas, não tem nenhum tipo de preconceito, não comete falas equivocadas, não tem favoritos, não tem fragilidades, não tem nenhum tipo de incompetência, não sai do prumo, ou seja, é perfeito.

Talvez esse ideal de liderança seja a razão por que é tão difícil encher uma sala de treinamento com as gestões de uma empresa, afinal, se são tudo isso, eles não têm nada a aprender, certo? Não é bem assim, e quem é de RH sabe do que estou falando. Tentar capacitar o nível gerencial é lidar com um universo de melindres, medos e inconsistências no melhor estilo "faça o que eu digo, mas não faça o que eu faço". Muitas vezes, no oferecimento de um treinamento, não se pode nem misturar gestões de níveis diferentes – "os gestores não se sentem à vontade" – detalhe: mesmo quando estão apenas entre eles, líderes. E, quanto maior o nível, menor a chance de a gestão aparecer em sala de aula. Diretor, VP, CEO? Raríssimo de ver!

QUANTO MAIOR É O NÍVEL HIERÁRQUICO, MAIS FOCADA EM RESULTADOS É A CONVERSA.

Só aparecem para a abertura dos eventos e olhe lá, mesmo quando são eles a causa de muitos dos problemas e os que mais precisam do treinamento.

Talvez a explicação desse fenômeno esteja na cultura do líder perfeito. Uma gestão perfeita não comporta erros, mas também vulnerabilidades, trocas, perguntas e aprendizados. O gestor se sente compelido a performar um ideal. E essa alta expectativa acaba por isolar as lideranças e fomentar a prática de esconder problemas. Perdi a conta de quantos gestores ouvi se queixando da solidão! E por que isso acontece? Com os subordinados, eles não podem se abrir, afinal precisam manter a postura idealizada. Com pares, muito menos, afinal competem diretamente entre si. E com o gestor direto? Raríssimo. Quanto maior é o nível hierárquico, mais focada em resultados é a conversa. Muitos nem recebem feedback de suas gestões, que é visto como algo quase desnecessário, já que "feedback se dá no dia a dia". É como se as políticas de RH valessem para alguns níveis, mas fossem completamente dispensáveis para outros.

Nessa realidade, todos perdem, porque o gestor não evolui como poderia, não consegue entregar o seu melhor e, portanto, pode até travar o pipeline de liderança, impedindo o crescimento próprio e, por consequência, dos subordinados. Isso sem contar que uma gestão despreparada, com pouca rede qualificada de apoio, é alvo fácil dos puxa-sacos.

Entenda, gestor é funcionário como você e, sim, também tem medo de perder o emprego, falhar, ser repreendido. Além disso, está mais exposto, vulnerável, e não é de se estranhar que sinta a necessidade de ter aliados. O puxa-saco se aproveita da lógica inversa: ele não espera ser nutrido pelo gestor, ele o nutre e é assim que conquista o seu espaço. Exagerando, mentindo e adulando, ele ocupa o lugar de apoio a uma gestão enfraquecida, isolada e, por vezes, mal preparada. Fim do mistério.

Apesar disso, há uma habilidade que podemos aprender com os puxa-sacos: dar retorno positivo (mas, no nosso caso, verdadeiro) para os gestores. Por medo de sermos vistos como um dos puxa-sacos, não elogiamos o gestor quando ele acerta, não damos feedback positivo, não o nutrimos. Eis um erro. **Todo mundo precisa de feedback positivo, inclusive a gestão.**

O EXCESSO DE SUBJETIVIDADE

É claro para você o papel de um gestor? Você consegue traduzir em ações práticas o que ele precisa fazer para ser considerado bom? Porque atribuições como "inspirar", "motivar", "ser exemplo", "guiar pelo propósito" me parecem subjetivas demais. Um gestor pode ser inspirador para mim e não ser para você. O que me motiva não é a mesma coisa que te motiva. Ainda que estejamos na mesma equipe, podemos ter visões completamente diferentes do que é um bom gestor. Isso porque avaliamos com base nos nossos próprios critérios e interpretações do que cada uma dessas palavras significa.

Ainda, o que a empresa espera de suas gestões? Cada empresa tem um ideal, e, no contexto, é esse ideal que importa. É fundamental que a organização eduque sobre o que é um bom gestor para ela: escreva, fale, compartilhe, para que todos estejam na mesma página. Alinhar expectativas é o segredo para diminuir frustrações.

Por fim, às vezes o gestor não é ruim, ele só não é o que você espera. O que você espera é o que a empresa espera? E o que determina se alguém cumpre bem ou não o seu papel, as nossas expectativas individuais ou os combinados? É difícil julgar por fatores subjetivos. Precisamos tratar do que é um bom gestor em termos práticos.

O TERMO DA MODA

Confesso que me causa certa estranheza a busca frenética do mercado pelo "líder da moda". Todos os dias, surge um método, uma metodologia, uma fórmula, um termo, um nome, um título, uma certificação, algo que nos indica que é preciso mudar, e mudar urgentemente – e que aquele conhecimento antigo, por vezes nem tão antigo assim, pouco ou nada dominado, já não serve mais. Assim, tivemos as ondas de termos e formações "líder", "líder coach", "líder mentor", "líder inspirador", "líder servidor" ou "líder contemporâneo-contagiante-top-antifrágil-pronto-para-o-mundo-vuca-opa-agora-é-mundo-bani[3]". Perceba que

---

[3] N. do E.: VUCA e BANI – siglas que remetem a conceitos que podem nos ajudar a compreender a realidade social e das organizações, e como elas nos afetam. VUCA, cuja primeira aparição remete ao contexto norte-americano do final da Guerra Fria, significa: *Volatility* (volatilidade), *Uncertainty* (incerteza), *Complexity* (complexidade), *Ambiguity* (ambiguidade). Já BANI surge em 2018 com o antropólogo Jamais Cascio, mas ganha relevância somente em 2020, a partir dos efeitos da pandemia do coronavírus no ambiente corporativo. Trata-se de: *Brittle* (frágil), *Anxious* (ansioso), *Nonlinear* (não linear), *Incomprehensible* (incompreensível).

os novos termos vão adicionando camadas de complexidade a algo que já é complexo.

Eu penso que precisamos fazer o caminho contrário, voltar para o simples e garantir o básico. Que mania que temos de querer complicar quando nem o arroz com feijão estamos fazendo! Com a liderança é a mesma coisa: se não está claro o que a empresa espera de seus líderes, se o processo de feedback não acontece como deveria, se não existe plano de preparação de sucessores, por que estamos tentando reinventar a roda? Eu amo o progresso, mas às vezes precisamos voltar ao básico bem-feito.

OU ISSO OU AQUILO

Você percebeu que, ao longo deste capítulo, eu usei a palavra "gestor"? Mas poderia ter usado "líder" ou até "chefe". Ao contrário dos posts que critiquei no início, não vejo separação entre um termo e outro. Inclusive, acho um equívoco distingui-los. Primeiro porque a palavra "chefe" não tem significado negativo na definição do dicionário, essa acepção foi construída com o tempo, e, como já aprendemos, tratamos de mudar o nome daquilo que passa a ter significado negativo, ainda que na prática nada tenha mudado.

Acredito que essa separação que se faz – em uma coluna o chefe, na outra o líder – reforça uma visão hollywoodiana da vida, em que o mundo se divide em bom e mau, vilão e mocinho, céu e inferno. Na vida real, não somos uma coisa ou outra, somos uma coisa e outra, ao mesmo tempo.

Ainda, se formos refletir sobre as máximas segundo as quais "líder inspira", "chefe manda" e "gestor possui habilidade para gerir recursos", veremos que qualquer pessoa em posição de liderança precisará fazer uso desses recursos uma vez ou outra, é próprio da posição. O que diferencia um gestor do outro é a capacidade de usá-los bem e no momento certo.

O GESTOR QUE O BRASIL QUER

Um perfil de gestão muito comum e até esperado no Brasil é o paternalista, decorrente da nossa história e da nossa política. Nesse modelo, troca-se a lealdade por benefícios e proteção para os seus.

Soma-se aí um problema sistêmico. Aproximadamente 6% dos brasileiros não possuem o nome do pai na certidão, e ainda há os que possuem, mas foram abandonados afetiva e financeiramente. Basta olhar o número de processos de pensão alimentícia aumentando ano após ano.

Nossa própria sociedade se organizou de tal forma que as empresas frequentemente suprem demandas que deveriam ser providas pelo Estado: plano de saúde, previdência privada, incentivo à educação – fazendo, por vezes, a função do "pai" superprotetor.

Esse é o melhor perfil de gestão? Eu, particularmente, acho que não. Acredito que, como recurso, uma vez ou outra, pode ser necessário, mas acredito não ser nem mesmo sustentável a longo prazo. No novo mundo on-line, híbrido, assíncrono, é preciso fazer gestão para potencializar a autonomia, não a dependência.

Trouxe esse ponto sem nenhuma solução, porque o problema é complexo, profundo e envolve várias frentes. Mas, como a conscientização é o primeiro passo, ter isso em mente pode te ajudar a adequar as expectativas e entender qual deveria ser o real papel da gestão. Talvez você tenha projetado na figura do seu gestor um "paizão", contudo este não é o papel dele.

Depois desses pontos, o que você conclui? Eu espero que as suas conclusões sejam mais ou menos estas:

- A cultura do ideal cria expectativas irreais e prejudica o desenvolvimento das gestões.

- A subjetividade potencializa a frustração. É preciso ter critérios claros do que é um bom gestor para cada empresa. Isso facilita para o gestor e para o subordinado.
- Em vez de abraçar todas as modas e tendências corporativas, deveríamos focar o fortalecimento das questões básicas e fundamentais de uma boa gestão.
- Gestor, chefe ou líder? Gestor-chefe-líder, sempre atento ao que pede o momento.
- Nossa história enquanto nação influencia as expectativas depositadas na gestão.

COMO POSSO SER MELHOR COMO GESTOR?

"E como ser um bom gestor?", você me pergunta. "Tem uma fórmula, Paula?" Fórmula? Não! Mas tenho algumas boas práticas para sugerir.

- **Tenha claro o que é esperado de você:** pergunte à sua gestão, fale com o RH sobre o seu papel enquanto gestor de pessoas. Entenda a cultura, os valores, as competências da empresa – você representa tudo isso na ponta, junto ao funcionário.
- **Deixe claro o que espera de cada membro do time:** estabeleça metas claras e combinados. Tenha métricas para acompanhar a evolução das entregas.
- **Revise seus vieses e preconceitos:** se questione se não houver diversidade em sua equipe. Esteja aberto a revisitar suas piadas, falas e modo de agir. Um bom gestor representa a todos.
- **Faça do feedback um ritual:** pelo menos uma vez ao mês, realize-o com seus subordinados diretos. Pergunte sobre a evolução dos projetos, entenda as dificuldades, reconheça o que funcionou e, se quiser, use a pergunta: "Como eu posso ser um gestor melhor para você?".

- **Errou? Assuma. Não sabe? Aprenda.** A postura que vale para o seu time deve valer também para você. Sabemos que somos seres falíveis, porém uma das principais entregas de um gestor é a coerência entre o falar e o agir. Por mais que eu tenha tentado desconstruir a ideia de uma "gestão perfeita", precisamos ter em mente que gestor é exemplo (ou deveria ser), logo, não ignore o poder que você tem em mãos.

SEGREDO REVELADO:

espere uma gestão real, com erros e acertos, e extraia dela o melhor.

9

POR QUE A PESSOA PROMOVIDA NÃO FOI VOCÊ?
✱ ✱ ✱

Você provavelmente já se perguntou por que aquela promoção não veio, ou por que não foi a pessoa escolhida naquele processo seletivo ou para aquela nova função na empresa. Você não está sozinho nessa, muita gente passa pela mesma situação, mas não é por isso que você precisa se contentar com o lugar em que está e permanecer nele para sempre.

Este capítulo tem como objetivo encontrar as respostas para esta pergunta tão difícil e dolorosa de se fazer: "Por que não fui eu a pessoa promovida?". Antes de tudo, acredite que, sim, é possível reverter esse quadro; é hora de se despedir dos sentimentos de angústia, frustração e ansiedade por nunca ser a sua vez.

E o melhor jeito de começar é com um exercício de autoconhecimento.

Você sabe quais são os seus pontos fortes e fracos?

_____

_____

> _____
>
> _____
>
> _____
>
> Você sabe como as pessoas percebem você e o seu trabalho?
>
> _____
>
> _____
>
> _____
>
> _____
>
> _____

Essas duas perguntas são necessárias para começarmos uma investigação dos possíveis motivos para você não ser a pessoa escolhida para a promoção. Recomendo, de verdade, que você seja o mais sincero consigo mesmo (essas respostas são para você e para ninguém mais – a não ser que você queira mostrá-las).

Mais do que isso, proponho que você vá até o âmago, às profundezas de quem é, dos seus sentimentos e das suas reações. Esse é um processo doloroso, bonito e poderoso (tudo ao mesmo tempo) que lhe permitirá assumir sua força, sua totalidade, sua luz e suas sombras. Coisas incríveis acontecem quando nos reconhecemos: o feedback do outro dói menos (porque, se for verdade, acolhemos e, se não for, descartamos), assumimos um lugar de força no mundo (pois estamos íntegros na arena, sem gastar energia em esconder ou ocultar o que achamos feio ou rejeitamos em nós) e conseguimos atuar rapidamente na correção do que precisa ser corrigido, algo necessário para crescermos.

Em relação à percepção dos outros sobre você, busque saber, peça feedbacks. Pergunte às pessoas em que confia e às pessoas que trabalham com você o que elas entendem que você faz bem e o que elas consideram que você poderia fazer melhor. Carreira, ao mesmo tempo que é individual, depende do coletivo. Então, a forma como o outro nos percebe é muito relevante. E o legal de se abrir para esses feedbacks é que você terá a oportunidade de potencializar o que é bom, corrigir o que não é e até mesmo perceber se aquilo que comunica corresponde a quem você é – fique tranquilo, vou explicar isso melhor a seguir.

PARA TRANSFORMAR POTENCIAL EM POTÊNCIA

Espero que você não tenha se cansado das minhas histórias, porque não há nada melhor do que exemplos da vida real (melhor ainda se forem próprios) para ilustrar certas situações. Eu estive por muitos anos no lugar da pessoa que não era promovida, então entendo bem disso. Tenho pavor até hoje da palavra "potencial", porque era o que eu mais ouvia em meus feedbacks: "A Paula tem potencial"; "Você é muito boa, tem muito potencial!"; "Fique tranquila, seu potencial é grande". Que ranço! Potencial era uma promessa de futuro, era como se me dissessem "Você pode ser, mas ainda não é". Deixando a modéstia de lado, posso afirmar que sempre desempenhei bem em termos técnicos; já meu comportamento...

Reconheço que, no início da carreira, comigo era tudo ou nada, oito ou oitenta, era força, impaciência, pouco controle emocional, zero habilidade para lidar com frustração. Tudo me deixava magoada, ou eu falava um monte, ou chegava em um ponto em que simplesmente ignorava o outro e parava completamente de falar com ele – uma ciclotimia não diagnosticada até então não contribuía para o comportamento mais impulsivo em alguns momentos. Mas a questão não era só o meu comportamento.

Eu fazia zero questão de me relacionar, achava tudo uma perda de tempo. Em minha defesa, preciso dizer que é comum carregarmos nossos problemas para a empresa, e comigo não foi diferente. Tive um passado de sofrer bullying, tinha certo trauma de pessoas, eu realmente me afastava para me proteger. Quando era jovem, meus apelidos eram Godzilla, Baleia, Monicão (por causa dos dentes separados)... O *glow up* veio, mas eu ainda assim não enxergava em mim o que a nova imagem projetava. Só a gente se vê por dentro, né? A insegurança continuava ali, a timidez, o medo do outro também, porém a minha imagem e a forma como eu me portava eram diferentes. Eu tinha uma couraça que demonstrava confiança e segurança (por vezes, até em excesso). Logo, recebia julgamentos que não condiziam com quem eu era ou como me sentia. "Metida"; "Não fala com ninguém". Ah, se eles soubessem... Eu tinha uma autoestima muito baixa; tinha tanto medo da rejeição que rejeitava. O julgamento, a percepção do outro sobre nós afeta nossa carreira diretamente. E não é só a opinião da gestão direta que conta; quando não somos bem percebidos pelos colegas ou clientes, nossas chances de promoção ficam reduzidas, e isso é um fato.

Ninguém conversou abertamente comigo sobre isso, e hoje percebo que, quando somos considerados "difíceis", as pessoas temem nos falar aquilo que precisamos ouvir. Fui descobrindo aos poucos o que acabei de relatar com grande ajuda da terapia – embora, à medida que resolvesse uma questão, descobrisse outras. Rs! A vida é assim mesmo, viu? Então, com a minha própria experiência e, depois, com a vivência de acompanhar milhares de profissionais dentro do RH e fora dele, entendi alguns comportamentos que nos afastam da tão sonhada promoção.

E já adianto: uma das coisas que transformam potencial em potência é o desenvolvimento das habilidades comportamentais.

COMO SE COMPÕE UMA CARREIRA

Uma carreira não é feita somente de currículo e formação profissional; é preciso muito mais do que isso, porém há três ingredientes que não podem faltar de jeito nenhum na receita da sua entrega profissional:

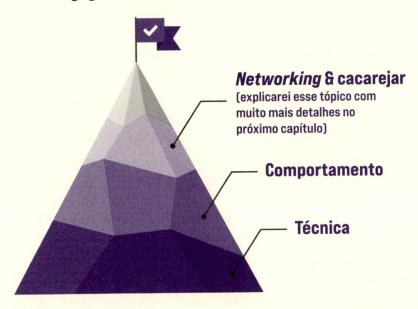

Networking & cacarejar (explicarei esse tópico com muito mais detalhes no próximo capítulo)

Comportamento

Técnica

Técnica: conhecimentos e habilidades que o mercado costuma chamar de *hard skills*. São os pré-requisitos da vaga, o que geralmente está escrito no currículo e aquilo pelo qual você será cobrado em um primeiro momento na organização. É a base da sua carreira profissional. Exemplos: determinada formação ou certificação; inglês; Excel; conhecimento em sistemas; habilidades em gestão de projetos; etc.

Comportamento: conhecimentos e habilidades ligados ao comportamento, comumente chamados de *soft skills*. Exemplos: inteligência emocional; comunicação; resiliência; criatividade; liderança; e até mesmo o *fit* com a cultura organizacional. O comportamento determinará quem permanece e cresce em uma organização.

Networking & cacarejar: somente uma minoria dos profissionais atinge este último nível, que representa o *networking* e as redes de relacionamento, a valorização do seu nome ao longo do tempo (marca pessoal), a comunicação e venda do seu trabalho. Chegar a esse nível é como obter um acelerador na carreira, algo que potencializa, e muito, o acesso às melhores oportunidades.

Eu não te conheço, mas aposto com você que a sua promoção, como a minha no passado, não aconteceu devido a algo relacionado ao seu comportamento ou à expectativa que a sua gestão tem em relação a ele. Talvez isso choque os mais cartesianos, mas é verdade: a técnica sozinha não vai levá-lo ao próximo nível – se você já perdeu vagas para profissionais que sabiam menos do que você, sabe bem do que estou falando. O que te impede de alcançar a tão sonhada promoção pode ser a inabilidade de influenciar pessoas ou a resistência que a gestão percebe em você, a dificuldade com os pares, ou algum comportamento que se mostrou inapropriado – a tal falta de leitura de cenário.

Existem pessoas que deixam de ser promovidas pela técnica? Sim, mas técnica, em geral, é algo mais fácil de desenvolver do que comportamento, e, uma vez apontada, uma questão técnica costuma ser fácil de corrigir.

"Mas, Paula, acho que não é nem meu comportamento nem minha técnica o que me impede de ser promovido. Pode ser o *networking*?" Pode! Com certeza!

DIZ-ME COM QUEM ANDAS, E TE DIREI QUE CARGO OCUPARÁS

Perceba que, na composição dos ingredientes essenciais em uma carreira, inseri um tempero muito brasileiro, o relacionamento. O Brasil é um país relacional. Muitas vagas são fechadas por Q.I., e não, não estou falando do quociente de inteligência, mas do *quem indica*. Muitas vagas nem sequer chegam ao mercado para ampla concorrência, e muitas oportunidades internas já são abertas com cartas marcadas. Eu sei, é triste constatar, mas a carreira às vezes funciona na base do "Diz-me com quem andas, e te direi que cargo ocuparás".

Eu já passei da fase da revolta, já entendi que cultura é algo maior que eu ou você. E a cultura do relacionamento, da indicação está muito presente em nossa vida, a tal ponto que às vezes nem percebemos. Quantas vezes, para contratar um serviço qualquer, não pedimos indicação a alguém? É como se transferíssemos a confiança que temos na pessoa que indica para a pessoa indicada. Exemplo: você tem uma amiga, a Marcela, que te conhece bem, sabe o que você gosta e não gosta. Você e Marcela têm muita afinidade, se ela gosta do trabalho de alguém, provavelmente você vai gostar também (assim você pensa). Se estivermos no contexto de uma empresa, pode até existir uma avaliação técnica num segundo momento, um processo seletivo, mas a pessoa indicada por Marcela de certa forma terá furado a fila, percebe? Se essa pessoa for minimamente boa, a chance de ela passar é enorme!

Anote e não esqueça: no Brasil, relacionamento é estratégico. Muitos negócios e oportunidades profissionais surgem em almoços, cafezinhos e eventos, e, se você não herdou uma rede de relacionamentos pronta, terá de construir. **Pense: será que a oportunidade que você não teve pode estar nas mãos de quem você ainda não conhece ou de quem ainda não se aproximou?**

SERÁ QUE TEM MAIS ALGUMA COISA NO CAMINHO DA MINHA PROMOÇÃO?

"Paula, seja mais específica, será que tem mais alguma coisa atrapalhando a minha promoção?" Vou ser específica e listar os pontos que mais observei nesses anos de atendimento, mas lembre-se: tudo neste livro indica, porém não determina. O caminho é exploratório, esses pontos são possibilidades, e cabe a você avaliar e perceber se cada um deles faz sentido ou não.

Você entrega o que quer, não o que a empresa precisa
O ritmo, a entrega e as prioridades da empresa são diferentes do que você espera. Tenho um exemplo que ilustra bem essa situação. Certo dia, fui apresentar para a minha gestão mais uma ideia – sim, eu tinha muitas ideias, a maioria delas conectadas com o futuro. Comecei dizendo: "Porque no Google eles estão fazendo...", mas meu gestor logo me interrompeu: "Paula, nós não somos o Google". Corte seco, engoli, sem falar nada. Depois, mais calmo, ele me explicou: "Paula, a empresa tem um ritmo e tem uma necessidade. Agora, precisamos focar o básico, não adianta pular etapas ou querer que a empresa [que tinha uma estrutura gigante] acelere além da sua capacidade. Precisamos entregar o que a empresa precisa,

não o que a gente quer". Frustrante, eu sei. Podemos ter mil argumentos, eu mesma preparei cada um deles, mas, na prática, é isto: existe uma hierarquia, uma ordem e uma demanda. No meu caso, eu tinha esse tipo de conflito muitas vezes na semana; era quase como se, na orquestra empresarial, eu estivesse tocando em um tom e o restante da empresa em outro. Observar isso é fundamental.

Você não oferece risco de sair

Quem oferece risco de sair é promovido primeiro. Quanto maior a sua mobilidade, conexão com o mercado e relevância na área, melhor. Não deixe a empresa ter certeza de que você nunca irá a lugar nenhum, de que você depende 100% daquele emprego. Eu sei que a maioria de nós depende, mas entenda a lógica: quanto mais na mão do outro você se mostrar, menos esforço o outro fará para te reter. Observe!

Você é o bonzinho que dá tudo de si

Sim, para ser promovido, é preciso fazer mais! Mas existe limite. Fazer muito a mais, entregar sem limites, como já destaquei, pode ter um efeito desvalorizador. Temos a tendência a valorizar aquilo que nem sempre está disponível. Entregue 30% a mais, dessa forma você demonstra o seu potencial e respeita os seus limites.

Você não falou explicitamente que deseja ser promovido

Sim, se quer crescer, você precisa falar isso! Precisa comunicar. Não existe o óbvio - acho que já falei isso várias vezes neste livro, né? Pois repita como um mantra: **não existe o óbvio, você precisa comunicar o que é importante para você!** O mesmo vale para quando a gestão promete uma data para a promoção; quando a data vence, você precisa chamar a gestão e perguntar sobre o assunto, a não ser que deseje continuar esperando...

Como conduzir uma conversa para promoção?

1. Tenha evidências: desde o início da sua jornada na empresa, colete feedbacks, resultados, projetos extras e anote-os ou arquive-os em uma pasta. Pesquise na internet quanto vale a sua posição no mercado – sites como o Glassdoor.com.br podem ajudar.

2. Faça uma análise: estabeleça um comparativo, o famoso "antes/depois". Você pode mostrar as melhorias nos indicadores, o *saving* (economia) e as melhorias de processo que promoveu, assim como atividades que incorporou. É importante ter isso em mãos no momento da conversa sobre promoção.

3. Momento e local: chame o seu gestor para um "bate-papo sobre carreira", preferencialmente presencial, em local reservado.

4. A conversa: você pode iniciar a conversa pedindo um feedback do seu trabalho ou resgatando os feedbacks positivos que recebeu. Na sequência, pode apresentar a evolução de suas entregas e resultados. Então, comunique a sua expectativa. Você pode usar uma das estruturas a seguir, de acordo com a necessidade:

"Além de todas as entregas e resultados, observei que meu salário está abaixo do que o mercado paga para alguém na minha posição."

"Observei que houve um crescimento do meu escopo de trabalho e, diante disso, entendo que um aumento seria adequado."

"Percebo que estou pronto para o próximo passo da minha carreira."

5. A resposta: depois de comunicar as suas expectativas, você precisará de uma resposta. Na maior parte das vezes, o gestor não dará a resposta imediatamente. Diante disso, você pode perguntar algo como: "Posso te perguntar sobre isso em duas semanas?" ou "Quando você consegue me dar um retorno?". Quando a data vencer, você pode perguntar ao seu gestor: "Chefe, você tem um retorno sobre o meu pedido?". Caso a promoção seja negada, busque obter o motivo. Pergunte se há algo que você pode fazer (em termos de performance e postura) para aumentar as suas chances, algo como: "Compreendo. E o que posso fazer para alcançar esse objetivo dentro da empresa?". Não tenha medo da resposta. Lembre-se de que a pior resposta não é a negativa, mas sim ser cozinhado em banho-maria e passar meses ou anos com a esperança de uma promoção que nunca virá (daqueles casos raros que acontecem muito).

ESSA EMPRESA NÃO É PARA VOCÊ

Existem obstáculos que são intransponíveis. Às vezes, você simplesmente está no lugar errado, e talento precisa de espaço. Se você já fez tudo o que poderia ter feito e a perspectiva de promoção é zero, que tal começar a olhar para o mercado? Lembre-se de que a melhor condição para procurar emprego é estando empregado, pois seu poder de barganha é maior e você tem mais tranquilidade para selecionar a melhor oportunidade. Ah, sempre negocie o seu salário na entrada; depois que entra, você já sabe, tudo fica mais difícil.

1. Analisar meus pontos fortes e fracos é o primeiro passo para perceber onde posso estar errando.

2. É importante obter a percepção dos outros sobre mim, afinal a carreira é algo individual construído no coletivo.

3. Na maioria das vezes, o fator comportamental é o que impede a promoção.

4. Não devo ter medo de conduzir conversas sobre aumento e promoção. É algo que faz parte do mundo profissional, e a pior resposta é não ter resposta.

5. Quando todas as possibilidades estiverem esgotadas, talvez seja momento de partir para a próxima oportunidade.

SEGREDO REVELADO: nem sempre o melhor tecnicamente é aquele que cresce na empresa.

10

NÃO BASTA ENTREGAR, TEM QUE CACAREJAR!
* * *

Logo no início da minha carreira, ouvi de uma colega a seguinte pergunta: "Paula, você sabia que o ovo da pata é maior que o da galinha?". Respondi que não sabia, sem entender aonde ela queria chegar com tal pergunta. Ela seguiu dizendo: "Pois é, a pata coloca ovos maiores. Mas ninguém lembra dela, só lembram da galinha, que é boa de marketing". Uau, que lição poderosa! Foi naquele momento que entendi: não basta entregar, tem que cacarejar! E agora é o momento de compartilhar esse segredo com você.

Entenda "cacarejar" como o ato de comunicar; você perceberá ao longo do capítulo que dispomos de muitas formas de comunicar ao mercado o nosso valor. É fundamental aprender a comunicar sobre si, sobre suas conquistas e êxitos, não apenas para as pessoas que trabalham com você, mas, principalmente, para quem não trabalha com você. Acreditar na máxima do "trabalhe em silêncio e deixe o seu trabalho falar por você" é um erro. Eu mesma amava essa frase, me achava superdigna seguindo esse preceito, mas, na prática, essa atitude me fez cair no lugar da carregadora de piano, trabalhando o dobro e recebendo menos da metade de quem se vendia melhor do que eu. Não tenho, confesso, a menor vocação para trabalhar sem reconhecimento, sem mérito, sem ganhar um bom salário, não mesmo!

É FUNDAMENTAL APRENDER A COMUNICAR SOBRE SI, SOBRE SUAS CONQUISTAS E ÊXITOS.

Além da constatação prática de que se não fizesse meu marketing pessoal eu morreria na sombra, para mudar a minha postura precisei refletir muito sobre por que julgamos tanto socialmente quem fala sobre si. Eu mesma achava um horror esse comportamento nos outros e, por consequência, em mim. Pensei, pensei e cheguei a algumas conclusões que agora compartilho com você.

Se uma pessoa fala do que realmente entrega, se ela "se acha" por algo que faz bem, parabéns para ela por ser uma das poucas pessoas que conquistaram o lugar de reconhecer em si mesmas o que fazem de bom. Já a pessoa que vende além do que entrega, que chamo de garganta-de-ouro, representa uma situação menos óbvia; percebo que, muitas vezes, a crítica a esse comportamento não passa de inveja. Porque, por mais que a julguemos como menos competente, ela tem mais coragem e até autoestima para se colocar na vitrine – e, com isso, obtém quase sempre melhores resultados com menos esforço. Por fim, pensei, falar de si, das próprias entregas não significa se julgar melhor que ninguém, significa apenas ter capacidade de reconhecer em si e nas próprias entregas algum valor.

Todos esses insights parecem simples, talvez até óbvios, quando apresentados em um parágrafo, mas são fruto de reflexões e observações de anos. Este capítulo fala de forma objetiva sobre cacarejar o seu trabalho, ou seja, vender o que você faz, mas, num sentido mais profundo, isso se expressa em você se sentir merecedor de ocupar um lugar de destaque e reconhecimento.

Aqui costuma ser o ponto em que a síndrome do impostor grita em nosso ouvidinho: "Quem é você para...?"; "Você nem é tudo isso!"; "Nossa, está se achando!". Não preciso nem dizer que silenciar essa voz autocrítica é necessário, né? Já sabemos que, para uma carreira deslanchar, só a técnica não basta. O comportamento conta. O relacionamento conta. Se você conseguir acrescentar nessa receita a imagem, melhor ainda. E, se você se tornar um bom vendedor do seu trabalho, você entregará o combo completo!

No começo, será difícil e parecerá falso, já adianto. Não se julgue por isso, afinal todo comportamento adquirido é um pouco falso, uma vez que não é o seu comportamento natural. Mas precisamos nos dar a chance de aprender, fazer diferente, testar novos caminhos e, acima de tudo, nos autorizar a reconhecer e valorizar aquilo que temos de melhor.

Se não eu, quem?

Pergunte-se: "Se não eu, quem?". Se não for você a pessoa certa a ocupar o lugar para o qual você se preparou a vida toda para assumir, quem será?

Agora se pergunte: "Se não agora, quando?". Por quanto tempo você insistirá em um modelo que já sabe que não te levará aonde você quer chegar?

Com essas respostas, abra a cabeça para o que vou te falar a seguir.

SER + PARECER + COMUNICAR

Provavelmente você já ouviu falar sobre marca pessoal, mas talvez nunca tenha refletido sobre a sua. Preciso dizer que, tendo refletido sobre ela ou não, você já tem uma marca pessoal – todo mundo tem. Explicando de forma bem simplificada, marca pessoal é aquilo que falam de você quando você não está presente. A reputação, a lembrança, o sentimento que a simples menção ao seu nome gera no outro. E, às vezes, pode ser um desafio identificar a própria marca pessoal, ou porque estamos desconectados demais de nós mesmos, ou porque nunca fizemos uma gestão consciente da nossa reputação.

Ter uma marca pessoal forte é uma forma de comunicar o seu trabalho. A marca pessoal é, também, um ativo da sua carreira, algo que, se bem gerido, pode te levar a ter mais oportunidades, reconhecimento e retorno financeiro ao longo do tempo. O conceito de marca pessoal pode parecer novo, mas a preocupação com o ser, parecer e comunicar é antiga, como nos mostra uma simples olhadinha para a história.

"Não basta à mulher de César ser honesta, tem que parecer honesta." Não basta ser, tem que parecer ser: a imagem conta, o mundo é visual. E, você sabe, um presente em uma embalagem bonita custa mais caro. Esse princípio se aplica a pessoas. Antes de continuar, quero que você saiba que tenho mil e duzentas críticas ao ato de julgar pela imagem; acredito que pode ser discriminatório, reforçar estereótipos, além do fato de haver uma cobrança estética muito maior sobre mulheres do que sobre homens. Contudo...

Precisamos reconhecer a realidade como ela é e aplicar os princípios da leitura de cenário para tomar decisões conscientes. Quando falamos de imagem, não podemos esquecer da máxima: quanto mais adequado às expectativas ou ao estereótipo da função for o funcionário, menor será a resistência enfrentada por ele. Isso não significa, entretanto, que você deva ceder às pressões. Romper com o padrão pode ser um ato estratégico e inclusive uma forma de assumir a liderança e estar à frente de um movimento. Para saber qual caminho se deve seguir, observar o momento profissional é fundamental, afinal tudo tem um preço. Na minha visão, há momentos em que temos de ceder pela necessidade e outros em que precisamos romper pela vontade. Entre esses dois extremos – o da adequação absoluta e o do rompimento com tudo –, existe o meio-termo, em que, para pertencer, nos flexibilizamos em parte, e não completamente.

Além de considerar o ambiente e a sua estratégia pessoal de enfrentamento do mercado, é preciso entender quem é você. Perceba que eu entendo o "cacarejar" como uma tríade: o ser, o parecer e o comunicar. Por mais que imagem seja importante, o **ser** vem antes de tudo, até porque não existe marketing que dê jeito em produto ruim, e essa lógica vale para pessoas. Ter essa visão de dentro para fora ajudará você a ser mais autêntico e a transmitir maior credibilidade e, principalmente, coerência com a sua marca pessoal.

Somos seres complexos e cheios de nuances, é verdade. Mas, quando se trata de projeção de marca e construção de reputação, precisamos almejar a capacidade de síntese. Afinal, não é possível comunicar tudo para todo mundo o tempo todo. É necessário elencar o que se quer destacar, de dentro para fora. Estou falando dos seus atributos de marca, os seus elementos mais reconhecíveis, aqueles que você deseja transparecer desde o primeiro contato, a primeira impressão que deseja causar. Vamos imaginar que você é gestor em uma empresa tradicional que atua em uma área estratégica e exigente. Provavelmente, atributos como profissionalismo, poder e elegância vão ajudá-lo em seus objetivos profissionais. Ou então imagine que você é um consultor de criatividade, cuja função é justamente provocar no outro um novo olhar sobre as coisas e sobre o mundo; neste caso, talvez os atributos de liberdade, modernidade e autenticidade façam mais sentido.

Defina os três principais atributos da sua marca pessoal

Para escolher, reflita sobre quem você é, onde está e o que deseja. São exemplos de atributos: modernidade, profissionalismo, acessibilidade, intelectualidade, poder, liberdade, elegância, sucesso, dinamismo, autenticidade, empatia, excelência. Quais são os seus?

_____

_____

_____

_____

Agora que chegou a uma síntese do ser, você está pronto para avançar na tríade em direção ao parecer, ou seja, a imagem. Uma boa imagem é aquela que comunica exatamente o que você deseja expressar para o outro, para o mundo, sem a necessidade de palavras ou explicações. A imagem se traduz não somente em roupas e acessórios, mas em comportamento, linguagem e gesto. Ah, e não só no presencial, mas no on-line também! Assim, imagem é uma forma silenciosa e poderosa de comunicação. Para aprimorar a sua imagem de modo que ela reflita os seus atributos, você pode contar com a ajuda de um profissional ou até mesmo pesquisar na internet (tem muitos conteúdos gratuitos que podem ser de imensa valia).

COMUNICAR, COMUNICAR, COMUNICAR!

Comunicar é o terceiro pilar da tríade e envolve relacionar-se, falar de si e do seu trabalho, vender o que você faz evidenciando resultados e pontos positivos, sem constrangimento, pautado na percepção de que, se você não o fizer, as pessoas não têm como saber tudo o que você é, entrega e faz. Se você não quer perder oportunidades para o garganta-de-ouro, aquele colega que faz uma entrega banal, mas que a vende como se tivesse reinventado a roda, acho bom você se mexer.

Sobre o vender-se, você pode fazê-lo com uma pegada mais tradicional, do tipo "olha como sou incrível, maravilhoso, tudo de bom" – que é perfeitamente adequada em certos contextos, como no seu resumo de perfil no LinkedIn (não é lugar de ser modesto). Mas você pode também se vender de uma forma mais suave, produzindo conteúdo, ajudando o seu mercado, construindo uma comunidade e uma rede de apoio. Nessa segunda opção – que indico que você faça em maior proporção –, o vender-se está associado a servir, ser útil, dar, ensinar, contribuir; é a forma mais natural e suave de construir autoridade em uma área e ser reconhecido.

A seguir, trago algumas ideias para você intensificar a comunicação sobre você e o seu trabalho e colocar seu bloco na rua.

Tenha uma foto profissional: se uma imagem fala mais que mil palavras, tire uma foto que evidencie os atributos que listou antes. Contratar um fotógrafo seria perfeito, mas, se isso não for possível, não se preocupe, você mesmo pode produzir a foto. Busque uma imagem com o máximo de qualidade e boa iluminação. Para se inspirar nas poses, busque referências no Pinterest (isso abre um mundo de possibilidades). Use essa imagem no LinkedIn, no e-mail da empresa e até no WhatsApp se quiser – a repetição ajuda a fortalecer a sua marca.

LinkedIn: faça um perfil completo. Adicione pessoas do seu interesse (se quiser, personalize a mensagem dos convites de conexão). Publique conteúdos (aprendizados para compartilhar; histórias e conquistas para inspirar; conteúdos e insights para educar), mas cuidado para não expor nenhuma informação sigilosa ou confidencial da empresa, ok? Interaja com perfis dos quais você quer se aproximar (curta os posts, comente-os, elogie, interaja com mais profundidade no *inbox*, se joga!). Peça depoimentos, eles são a prova social do seu trabalho (não deixe para depois que sair da empresa, pois os vínculos tendem a se esfriar). Atualize o seu perfil com cursos, certificados, esteja em constante movimento. Se quiser, me siga por lá (só digitar o meu nome: Paula Boarin); além de sermos amigos de LinkedIn (eu vou amar), possibilita que você se inspire na forma como eu utilizo a plataforma para modelar o seu conteúdo.

Redes sociais: se você estiver disposto a jogar o jogo com todas as ferramentas possíveis, saiba que outras redes sociais também podem ser um ótimo canal para *networking*, conexões, trocas e projeção profissional. Se esse uso não fizer sentido para você, saiba que está tudo bem também reservar esses canais para uso exclusivamente pessoal. Esteja atento, contudo, ao que posta. Por mais que só seus amigos tenham acesso, uma vez que esteja na internet, pode vazar. Já vimos diversos casos em que ações da pessoa física trouxeram consequências para a pessoa jurídica. Ah, leia com atenção os contratos de trabalho que assina, pois algumas vezes eles contêm cláusulas com conteúdos que não devem ser publicados (nem mesmo no perfil pessoal).

Eventos: sempre que possível, vá a eventos para socializar. Sei que muitos não gostam, mas devo dizer que festinhas-de-fim--de-ano-aniversariantes-do-mês-cafezinhos-almoços-happy--hour são importantes para estreitar os laços e, principalmente no Brasil, é pela via do relacionamento que muitas oportunidades surgem. Fora da empresa, se conecte sempre que possível a grupos profissionais, eventos da sua área e treinamentos. Seja visto, afinal quem é visto é lembrado.

Ofereça ajuda e ensine o que sabe: todo mundo gosta de ser ajudado, logo, se você é bom em algo que pode mudar ou melhorar a vida de alguém, não deixe de oferecer ajuda. Ensine o que você sabe, mostre como fazer. Isso não só faz que você seja reconhecido no trabalho, mas também que seja notado por quem não te conhece e está procurando alguém que saiba fazer o que você faz.

UM PASSO DE CADA VEZ

Eu poderia listar outras mil ideias aqui, mas a síntese é: qualquer oportunidade é uma oportunidade de vender o seu trabalho; o que vale é se conectar com pessoas e se colocar em movimento. **Preciso que você realmente entenda que carreira é a construção de um conjunto de fatores, em que todos contam, mas nenhum em específico determina o resultado.** O que quero dizer é que você pode encarar todas as recomendações deste livro como um grande checklist do que **pode** fazer pela sua carreira (não do que precisa, tem que ou é obrigado a). Você pode seguir o caminho de marcar o máximo de itens ou pode testar e validar aqueles que trazem mais resultados para a sua estratégia de carreira. Busque o equilíbrio ao colocá-los em prática. Quando digo para participar de eventos, não estou dizendo para quem tem dois filhos, trabalha o dia inteiro e ainda faz pós-graduação à noite ir a todos os eventos promovidos pela empresa, mas sim para, sempre que possível, inserir doses de bom relacionamento na rotina. O meu papel é apresentar o máximo de possibilidades e recursos, e o seu é adotar o que faz sentido e adaptar o que é necessário. Calma, respira para não surtar!

Networking é poupança: para sacar, é preciso depositar.

Não tem como falar em cacarejar o trabalho e não mencionar *networking*. Adoro pensar em *networking* como uma poupança, uma construção que vamos fazendo ao longo da vida, em que o ativo é o tempo e a constância conta a nosso favor. Ajudando, participando, nutrindo relações, temos mais chances de ser ajudados por nossa rede quando precisarmos. É isso que significa *networking*, uma rede com foco em ajuda mútua no campo profissional.

Tenha em mente que a maioria das nossas relações (independentemente da área) são baseadas na troca, no interesse comum e compartilhado, e assim é com o *networking*, que se torna ainda melhor se você inicia a relação ofertando algo em vez de pedindo. O maior erro que podemos cometer na condução do *networking* é aparecer na vida das pessoas apenas quando precisamos delas. Podemos até ser ajudados uma, duas vezes, mas, se não nutrimos de volta, a relação se esvazia e perde força.

E como criar *networking*? Como manter os contatos? Use todos os recursos que a sua criatividade permitir: WhatsApp, redes sociais, encontros presenciais, parabéns no aniversário, indicação de conteúdos, cursos, vagas ou outras informações que possam ser do interesse de quem faz parte da sua rede, encontros sociais regulares (futebol, cinema, teatro, cafezinho), tudo vale!

Por fim, siga o conselho do brilhante Austin Kleon: "Seja legal, o mundo é uma cidade pequena". Valorizar somente quem tem algo a nos oferecer no momento dificulta a construção dos nossos relacionamentos e da nossa rede de *networking*. O mais interessante do poder é que ele muda de mãos, e rápido. Então, gentileza e cordialidade são princípios básicos para quem quer construir um bom *networking*.

Qual é a primeira ação que você se compromete a fazer para cacarejar o seu trabalho?

_____

_____

_____

_____

_____

SEGREDO REVELADO:

não basta entregar, tem que cacarejar.

A DEMISSÃO VEIO, E AGORA?
***

Calma. Este não é um capítulo sobre como se lamentar ou sobre como uma demissão pode detonar a vida de alguém. Ao contrário, é para mostrar o caminho para se reerguer. **Se cair faz parte da vida, levantar deve ser o que fazemos de melhor.** No entanto, não vou alimentar falsas ilusões e meias verdades: a demissão pode, sim, ser o pior encerramento de um ciclo para quem não está preparado para ela. Sim, você leu certo: preparado. É possível se preparar para uma demissão e, mais do que isso, considerá-la uma oportunidade para mudar o seu destino, a sua vida e a sua escolha profissional.

Tendemos a perder de vista que a demissão é uma via de mão dupla; assim como a empresa pode encerrar o contrato conosco, nós podemos tomar a decisão de encerrar com ela. Ao longo de todo este livro, você tem sido guiado para se preparar para o mercado para além do seu emprego atual, de modo que, independentemente de quem parta a decisão de encerrar o contrato, você possua as mais diversas ferramentas para se recolocar.

A demissão pode provocar um luto na medida em que representa a morte das nossas expectativas.

Em um de seus livros, o filósofo Huberto Rohden diz que não devemos nos preocupar em nos preparar para a morte, mas para a vida. Para ele, se a nossa vida for boa, assim também será a nossa morte. Podemos comparar a sensação de ser demitido com a sensação da morte? Sim! Inclusive, na demissão vivemos um luto.

Imagine uma pessoa que durante dez anos de sua vida fez diariamente os mesmos trajetos, conviveu com as mesmas pessoas, condicionou-se pelo mesmo trabalho, que tinha como parte importante de sua identificação social ser o funcionário da empresa tal... Imagine como será a segunda-feira dessa pessoa após a demissão. Nada fácil. Ainda mais considerando que a maioria de nós tem uma visão muito romântica do mercado, a qual faz com que por vezes esqueçamos que, por sua própria natureza, uma relação comercial tem começo, meio e fim (como já falamos por aqui). Nenhuma relação profissional é eterna, e essa é a única certeza que temos quando assinamos um contrato.

Concordo muito com Rohden quando ele diz que devemos nos preparar para a vida. É o que estamos fazendo aqui. Dessa forma, saberemos lidar melhor com os momentos de luto que naturalmente vamos enfrentar. Quero que você saiba que é normal ficar triste, chateado. Tudo bem se você precisar de um tempo. E tudo bem também se você for do tipo que ressignifica rápido e posta no LinkedIn um texto de agradecimento pelo ciclo que se encerrou. Nesse processo, não existe certo nem errado, existe o que funciona para você.

Uma das coisas mais bonitas e instigantes sobre ocupar um cargo em uma empresa é que não somos o cargo, *estamos o cargo*. Isso nos faz lembrar que muitas coisas na vida são passageiras, mudam, se transformam. E essa percepção é especialmente importante quando enfrentamos uma demissão: não somos desempregados, estamos desempregados. A situação é mutável, ela não nos determina, não nos define. A demissão é algo absolutamente natural, faz parte da vida profissional, vai acontecer com a maioria das pessoas, logo não é preciso sentir vergonha.

"Paula, podemos sentir essa sensação de luto mesmo quando nos demitimos?", você me pergunta. Eu respondo que sim, com certeza. Não existe vida sem expectativa, e criamos expectativa sobre o trabalho e sobre o que vamos receber em troca de nosso esforço. Tomar a decisão de encerrar um ciclo é entender que o que esperávamos não vai se cumprir; no entanto, ainda que venha de nós, a constatação de que não há nada mais a ganhar naquela relação não deixa de ser difícil. Ficamos com medo, insegurança, receio de trocar o certo pelo duvidoso. Definitivamente, nunca é simples lidar com encerramentos de ciclos, mas eu posso garantir que o tempo resolve muitas das angústias e que a nós cabe dar conta de um dia por vez.

Sair deixando as portas abertas.

É importante que você pense no pedido de demissão como a última alternativa, ou seja, que o considere depois de ter esgotado as tentativas de solucionar suas questões e frustrações dentro da organização. Assim, quando a ideia de se demitir passar pela sua cabeça, certifique-se de que você fez uso de todos os recursos em mãos, de que se dispôs a mudar o que era possível, reviu posicionamentos, conversou com o seu chefe, com os seus pares, mudou de área, pediu aumento, pediu e deu feedbacks a gestores, conversou com o RH. Após concluir que fez todo o possível e mesmo assim não conseguiu reverter a situação, você deve começar a estruturar o pedido de demissão.

Com essa decisão tomada, prepare-se para o mundo lá fora. Acione a sua rede de contatos, atualize o seu perfil no LinkedIn, comece a se candidatar a vagas, faça quantas entrevistas forem necessárias. Idealize o seu plano, organize as emoções e o currículo para conseguir encarar o processo de demissão. Digo isso porque pode ser que você não consiga uma nova colocação tão rápido, e eu definitivamente não recomendo que você saia de um emprego sem ter outro em vista, uma boa reserva financeira ou até mesmo um plano B.

Entenda, você pode jogar tudo para o alto – desde que seja capaz de segurar as coisas quando elas despencarem do céu. O que quero dizer é que é chato ter um emprego ruim, mas é pior não ter como pagar as contas. Preciso ser realista aqui, até porque acompanhei muitos profissionais que se demitiram por impulso, na ânsia de dar um passo adiante, mas que depois acabaram tendo que aceitar a primeira oportunidade e, assim, deram muitos passos para trás.

Após planejar e se organizar, a hora de sair será, portanto, o fechamento do seu ciclo. Você deve deixar tudo da melhor forma possível; não é hora de lavar a roupa suja nem de se ater ao que deu errado ou ao que você precisou fazer para conseguir sair da empresa. Colocar-se na posição de vítima ou de injustiçado ou ficar raivoso não tornará as coisas mais bem resolvidas. Lembre-se: você passou meses, anos, tentando resolvê-las e não conseguiu; por que acha que elas se resolveriam em um dia, em uma conversa, nos minutos finais? A saída é o momento de focar o positivo e agradecer pela oportunidade na organização; almeje sair pela porta da frente e, de preferência, com um convite para voltar.

Se precisar justificar o motivo da saída, foque os ganhos que você está buscando ou que terá, e não naquilo que faltou, que é errado, que você detesta na empresa. É como um término de relacionamento: se a decisão está tomada, é porque o que tinha que ser dito já foi dito. Tenha em mente que nem todas as pessoas são maduras para receber feedbacks corretivos, e, numa situação de desligamento, como as emoções estão alteradas, não é interessante correr o risco de despertar a ira ou a língua ferina de alguém que pode te queimar sem que você tenha sequer a chance de se defender. Use falas como "Estou saindo em busca de um salário melhor/de um cargo melhor"; "Estou saindo porque vou focar os estudos/a família". Se possível, se disponha a treinar um novo funcionário, ensine a ele o que você sabe e deixe os processos e as senhas bem organizados.

Caso já tenha outro emprego em vista, recomendo não falar para onde vai. Você não tem controle sobre as ações do outro, não sabe o que um gestor ruim ou uma pessoa mal-intencionada são capazes de fazer – se estou te dando esse conselho, é porque já vi de tudo! Não corra riscos. Na hora certa, depois de três meses na empresa nova, já estabilizado, você atualiza o seu perfil no LinkedIn – óbvio que a fofoca já terá se encarregado de espalhar a notícia.

"Mas, Paula, vou sair sem colocar os pingos nos is? Sem resolver o que me afligiu por tanto tempo?"

Não. Estou falando para, no momento da demissão, não fazer uma cena de novela mexicana em que o mocinho se vinga do vilão. Haverá o momento certo para conversar. Se a empresa for organizada, existirá uma entrevista de desligamento, na qual você (se perguntado) poderá apontar as oportunidades de melhoria da organização. Esse é o momento de dizer o que aconteceu, de falar sobre as suas questões e sobre os motivos que o levaram a pedir demissão. Se a empresa não tiver esse processo, é um forte sinal de que não está preocupada com o motivo da saída de seus funcionários. Se a empresa foi sacana com você – o que pode acontecer –, a resolução deverá se dar na justiça. Se for o caso, ninguém precisa saber. Preserve-se, não saia espalhando aos quatro cantos que vai fazer isso ou aquilo. Na sua frente, seus colegas podem até enaltecê-lo por estar "tocando o terror" ou "falando a verdade na cara dos gestores", mas eu tenho minhas dúvidas se eles o indicariam para uma oportunidade. Seja impecável em sua postura. É assim que se mantém abertas as portas da empresa.

SER DEMITIDO

Ser demitido não é legal. Não vou romantizar. Para muitas pessoas, pode ser como um luto ou provocar um abalo gigantesco na autoestima. Mas lembre-se de que demissão faz parte do jogo. Todos nós, quando entramos no mercado, sabemos que isso pode acontecer. Precisamos encarar como parte do processo.

Logo, manter a calma e tomar um certo distanciamento é o melhor a fazer. Com a cabeça no lugar, volte a ler o cenário. Por mais difícil que seja ouvir isto, você precisa entender: a demissão geralmente não é decidida de supetão. Portanto, com calma, é interessante que, se tiver liberdade para tal, você retorne ao gestor e peça um feedback. Ouça-o com atenção e cuidado, procure entender o que o levou a cortá-lo. Especialmente, se você não recebeu sinais anteriores de que isso poderia acontecer. Nesse momento, o que você busca é compreender o que aconteceu para não repetir no futuro.

Ouça o feedback, acolha o sentimento e, se achar necessário, esclareça algum ponto ou simplesmente agradeça pela oportunidade de ter trabalhado na empresa, de ter feito parte da equipe e de ter aprendido com o gestor. E saia de cabeça erguida. Nunca, em hipótese alguma, xingue, debata, ameace, apague arquivo, faça textão ou vídeo na internet falando mal. E falo isso porque estou do seu lado, acredite. Não vejo como uma atitude assim será boa para sua carreira. Se a demissão for injusta, porém legal, não há muito o que fazer além de assimilar o golpe e seguir. Já se for ilegal ou se lesou você em algum sentido, você deve procurar um advogado para saber o que pode fazer – se for esse o caso, um posicionamento inflamado nas redes talvez prejudique seu processo. Fim. A vida precisa seguir.

Por fim, em qualquer caso, nunca, em hipótese alguma, esqueça a sua carreira, o seu futuro. A máxima "quando você sai de um lugar, ele deve estar melhor do que quando você entrou" é muito válida. Termine o seu trabalho, conclua as tarefas com seriedade, entregue aos colegas o que tem de entregar, não esconda informações, seja ético. O mercado é pequeno, e lá na frente você pode voltar a trabalhar com as pessoas que permaneceram na empresa.

DEPOIS DE ASSIMILADO O GOLPE, O QUE EU DEVO FAZER?

Se você foi demitido e está em busca de novas oportunidades, sugiro que siga o plano a seguir, composto de sete passos; ele funciona como um checklist básico e sem dúvida é um bom ponto de partida.

☐ **1. Corte ao máximo os seus custos**
Torcemos para que a recolocação seja rápida, mas caso não seja e você não tenha uma reserva de emergência, essa atitude é prudente e poderá ajudar.

☐ **2. Atualize o currículo**
Existem muitos modelos disponíveis de graça na internet. Preocupe-se menos com um design diferentão e mais com a qualidade das informações e com a correção gramatical do texto. Lembre-se: currículo não precisa ter foto, idade, altura, peso ou dados de documentos.

☐ **3. Volte ao Capítulo 10**
Se não aprendeu ainda, você precisará aprender a cacarejar o seu trabalho.

☐ **4. Ative o seu *networking* mais próximo**
Sim, está na hora de chegar para as pessoas que ajudou ao longo da jornada e dizer: "Oi, Fulano, estou em busca de novas oportunidades, se souber de algo com

o meu perfil, por favor me avise". Além disso, marque cafés, converse, muitas oportunidades virão das pessoas que você conhece!

5. Busque atualização
Cursos, formações on-line, vídeos no YouTube, formações, aperfeiçoamento do inglês ou de outra língua. Foque as opções gratuitas, se for necessário. Aproveite o tempo para aprimorar o seu conhecimento.

6. Mantenha a mente positiva
Não quero parecer romântica, mas manter a mente positiva nesse momento é determinante. Se você tem fé, se apegue à fé; se você gosta de meditar, a hora é agora. Se a ansiedade bater, existem no YouTube áudios gratuitos maravilhosos de afirmações positivas. Por si só, pensar positivo não muda a realidade, mas ajuda a visualizar alternativas – tudo o que já se concretizou em ação foi pensamento alguma hora.

7. Pense em formas de vender o seu conhecimento que não somente um emprego CLT
As estatísticas mostram que o futuro que se apresenta é um futuro de trabalho, não de emprego. Isso significa que para continuarmos trabalhando teremos por vezes que considerar outras formas além do emprego com carteira assinada. É exatamente sobre isso que falaremos no próximo capítulo.

SEGREDO REVELADO: saia com as portas abertas, você pode precisar voltar.

12

PLANO B: O FUTURO É TRABALHO, NÃO EMPREGO
***

"O que o futuro me reserva?"; "O que existe para mim além desse emprego?"; "E se eu perder o emprego?"; "E a aposentadoria?"; "Será que vou conseguir me aposentar?". Não importa a sua idade, a qual geração pertence, onde mora, se você está em fase de trabalho, certamente já foi tomado por essas inquietações a respeito de seu futuro profissional.

Não nascer herdeiro tem seus custos, e um deles é ter que se preocupar desde muito cedo com o futuro. Isso, é claro, se você quiser fugir da estatística e ter condições de bancar a si próprio após a aposentadoria; nesse caso, é importante se preocupar com o caminho que você fará até se aposentar.

Pense antes de virar a página.

> A minha pergunta, portanto, é: o que você tem feito pela sua carreira para além do seu emprego?
>
> _____

_____

_____

_____

_____

Talvez você tenha respondido que estuda, lê, ouve podcasts, faz *networking*, que se conecta com pessoas no LinkedIn, que tem se dedicado a projetos novos para crescer na empresa. Tudo isso é importante, mas ainda não se trata da resposta que eu gostaria de ler.

Este capítulo é sobre o seu futuro profissional e o spoiler é: ele vai muito além do seu emprego atual.

Quem tem um emprego, não tem nenhum!

Tem frases que marcam a gente, não é? Essa eu ouvi de um professor há alguns anos e nunca mais a esqueci. Ele nos alertava para os perigos de acreditar que o emprego CLT seria algo que nos daria segurança. É tão óbvio quando alguém diz, não é? Realmente, não tem como ser algo 100% seguro uma vez que não está totalmente sob nosso controle. Além disso, temos consciência de que podemos dar nosso melhor e mesmo assim receber de "presente" uma demissão. Apesar de a segurança não existir, a necessidade de continuar trabalhando, esta sim, é bem concreta. E é algo que nos vulnerabiliza demais, a necessidade. Ser refém da necessidade de trabalhar, precisar do dinheiro, muitas vezes nos faz aceitar o que seria inaceitável em outras condições, como já compartilhei com você neste livro.

Desde aquele estalo, tenho a seguinte inquietação: se o futuro é incerto, preciso fazer algo para me precaver. A vida

O SEU FUTURO PROFISSIONAL VAI MUITO ALÉM DO SEU EMPREGO ATUAL.

seguiu seus rumos, e meu segundo alerta aconteceu poucos anos atrás. Eu trabalhava no RH de uma grande empresa, e o ano era de crise. A empresa precisou demitir muitas pessoas, tanto de grandes posições quanto de níveis operacionais. Nunca mais esqueci daquelas cenas: salas com dezenas de pessoas sendo desligadas simultaneamente. Fiquei desesperada só de ver. Percebi que muitas não tinham nenhum preparo para aquele momento. Mesmo alguns dos profissionais de nível mais especializado tiveram muita dificuldade em voltar para o mercado. Acompanhei casos de profissionais que levaram mais de doze meses para conseguir uma recolocação e outros que precisaram se reinventar para continuar trabalhando.

A partir daquele ano, comecei a acompanhar muito de perto os indicadores de mercado, números de vagas e tendências. Não sei se foi esse segundo alerta, se eu estava mais atenta ou se realmente tudo aconteceu muito rapidamente: uberização do trabalho, nova reforma trabalhista, pandemia, os números de vagas CLT diminuindo ano após ano, o empreendedorismo despontando no Brasil. E aqui não estou falando do empreendedorismo por vocação, mas do empreendedorismo motivado pela falta de opção, pela necessidade de trabalhar.

Desde então, confesso, me tornei uma espécie de cavaleira do apocalipse doutrinando todos ao meu redor sobre a necessidade de se manter preparado. Sentia (e ainda sinto) que, de modo geral, nossa cultura não nos prepara para os piores cenários. No meu checklist preparatório, constam muitas das recomendações que te dei até aqui: leitura de cenário, currículo atualizado, LinkedIn ativo, foto profissional, *networking* bombando, reserva, planejamento financeiro e, principalmente, plano B.

E o que é um plano B? Basicamente, uma atividade profissional remunerada que você desempenha simultaneamente ao seu plano A. O plano B representa maior segurança, longevidade na carreira, possibilidade de aprendizado e até maior satisfação profissional. Fique tranquilo, vou explicar tudo o que você precisa saber para começar o seu!

Seis motivos para ter um plano B

- **Ter outra fonte de renda:** essa renda poderá te ajudar em momentos de desemprego ou de instabilidade no mercado. Também poderá auxiliar na construção de sua reserva financeira.

- **Fazer uma transição mais segura de carreira:** a melhor transição de carreira é aquela que se faz com planejamento financeiro ou realizando o plano B simultaneamente a tal ponto que este gere receita suficiente para você sair do plano A.

- **Aumentar a longevidade da carreira:** a barreira do etarismo ainda existe em algumas profissões. Torcemos para que o mercado mude, mas precisamos contemplar o pior cenário, lembra? Sabendo que muitas profissões são interrompidas pelo fator idade, como você pode se preparar para continuar trabalhando? A resposta é o plano B.

- **Valorizar o seu plano A:** por vezes, a atividade que você desempenha fora do seu trabalho oficial agrega conhecimento, contatos e autoridade ao seu plano A. Exemplo: um especialista em treinamento que passa a dar aulas na faculdade, um designer que atende pequenos empreendedores, um engenheiro que atua como mentor de jovens profissionais.

- **Dar início a uma jornada multicarreira:** ser multicarreira é desempenhar simultaneamente vários papéis profissionais, podendo ser na mesma área ou em áreas de conhecimento diferentes.

> É uma maneira interessante de viver uma carreira muito dinâmica e com entradas financeiras de vários lugares.
>
> • **Construir uma carreira que dê prazer e satisfação pessoal:** por vezes, o trabalho não representa nada além de contas pagas, e está tudo bem. Mas isso não faz necessariamente com que nossa capacidade criativa e nosso desejo de viver a satisfação profissional deixem de existir. O plano B pode representar uma oportunidade de construir uma carreira com significado.

EXISTE PLANO B IDEAL?

Eu sou uma pessoa que sempre tive planos B, C, D, E... Mas nem sempre meus planos eram suficientemente bons. A primeira atividade que tive como referência de renda extra foi: comprar e vender. Fiz isso com cosméticos, itens do Paraguai, patchwork... No entanto, eu sempre tinha perda de estoque, precisava vender muito para ter um bom resultado, nem sempre as pessoas pagavam (e na época eu não era boa de cobrar), os produtos pertenciam a universos que eu não conhecia com profundidade (o que me fazia desempenhar um papel mediano, porque não conseguia me atualizar em dois universos diferentes com o tempo que tinha) e, principalmente, apesar de desenvolver novas competências, não era uma atividade que agregava diretamente à minha profissão principal.

Percebi uma evolução quando, antes de ir para o RH, ainda como analista de marketing (a minha primeira área de formação), comecei a vender apresentações de PowerPoint, pelas quais cobrava por hora. Era a parte do meu trabalho CLT que eu mais amava e fazia com facilidade; percebendo que as pessoas não tinham a mesma aptidão, comecei a ofertar esse serviço.

Ali houve um salto: eu cobrava R$ 50/hora, mais de três vezes o valor da minha hora como CLT. Naquele trabalho, eu não tinha grandes custos de operação, não tinha estoque, não tinha perda e ainda desenvolvia as minhas habilidades já adquiridas, que se correlacionavam diretamente com o meu trabalho, o meu plano A. Era mais fácil de explicar, era mais fácil de me posicionar.

Foi com essa experiência que abri os olhos para o fato de que grandes especialistas fazem a mesma coisa, isto é, monetizar de diferentes formas um mesmo conhecimento, indo muito além do plano B, tornando-se, de fato, multicarreira. Vamos pensar em uma influenciadora de beleza que, em um primeiro momento, gera receita com pagamento de *ads* pelas plataformas e publicidade e que, após um período, expande sua zona de influência construindo a própria linha de maquiagem; em seguida, expande mais uma vez para produtos de cabelo, então para eventos, treinamento, consultoria para outras marcas, licenciamentos...

Essa estratégia não fica restrita a nenhuma área. Observe os grandes profissionais de cada nicho: finanças, dermatologia, psicologia, história; esses grandes expoentes todos monetizam seu conhecimento de muitas formas simultâneas.

Apesar de o plano B ser uma escolha individual, eu recomendaria inicialmente que você pensasse em algo dentro da sua área de atuação. Se você vende o seu capital intelectual para a empresa, indico que siga da mesma forma no plano B, ou seja, que venda o seu conhecimento. Que escolha, de preferência, algo que demande pouco investimento e que lhe permita testar, errar e corrigir rápido. Se possível, escolha atividades, profissões que se valorizem com o tempo. E, claro, que você dê conta de fazer simultaneamente ao plano A. Essa, na minha visão, baseada na minha experiência pessoal e na minha vivência guiando outros profissionais, é a forma mais fácil de começar. Acredite, começar algo novo já é bem difícil; se absolutamente tudo for novo, poderá ser quase impossível. Os primeiros passos serão mais fáceis se houver alguma familiaridade.

"Mas, Paula, acho que não gosto mais da minha área." Entendo, isso realmente pode ocorrer, mas devo dizer que muitas transições de carreira não deveriam acontecer. Elas decorrem de um profundo cansaço e desânimo, porém muitas vezes o problema não está na área em si, mas na forma como se tem trabalhado nessa área. Por exemplo: tenho clientes que saem do mundo corporativo desejando nunca mais voltar, traumatizados, horrorizados, após sofrerem burnout... Muitos, no entanto, são profundos conhecedores de suas áreas, são excelentes no campo em que atuam, adoram o que fazem; quando eles dizem que nunca mais querem voltar para uma empresa, estão dizendo, no fundo, que nunca mais querem voltar para a situação em que estavam. Ainda nesse exemplo, uma empresa trata diferente um consultor em comparação a um funcionário. Mesmo a nossa postura muda quando ocupamos o lugar de consultor. O que quero dizer é que o modo como trabalhamos com o nosso conhecimento guarda o poder de mudar a nossa experiência profissional. Como bem disse Bert Hellinger, às vezes o que precisamos não é um novo caminho, mas uma nova forma de caminhar.

Como descobrir o meu plano B?

O autoconhecimento vai te ajudar nessa missão. Busque responder as perguntas a seguir – leve o tempo que precisar.

1. O que você mais gosta de fazer?

2. O que você faz de melhor?

3. O que você gostaria de mudar no mundo (diga um problema que existe no mundo e que você acredita que pode resolver)?

4. Você trabalha pelo quê, dinheiro, propósito, liberdade, reconhecimento, aprendizado contínuo, horário flexível?

5. Que parte do seu trabalho você poderia vender para o mercado?

6. Liste pelo menos dez ideias de plano B com base no conhecimento que você tem hoje.

7. Escolha uma opção que una as respostas das cinco primeiras perguntas.

8. O que você precisa para começar (em termos de estrutura, investimento, conhecimento, pessoas que precisa conhecer)?

Ao final dessas respostas, pode até ser que você não tenha um plano B, mas, com toda certeza do mundo, terá material para refletir e para estruturar ideias melhores. Entenda: é preciso tempo de reflexão para se conhecer e para reconhecer o que faz sentido para você.

CUIDADOS AO CONDUZIR SEU PLANO B

Primeiro, leia seu contrato de trabalho atual para ter certeza de que não vai ferir nenhuma cláusula e escolha uma atividade que não seja encarada como concorrência direta à sua empresa. Separe bem o tempo e os recursos do seu plano B em relação ao plano A.

Saiba que, infelizmente, ainda existem empregadores que se sentem donos do tempo integral dos funcionários e que podem achar ruim você ter outra atividade no seu tempo livre. Então, avalie uma forma de realizá-la que não te prejudique nem te exponha.

Há grandes chances de o seu plano B ser empreendedor. Nesse caso, busque aprender sobre o tema, além de compreender o que muda quando você tem um CNPJ ativo. Por exemplo, se você é CLT e ao mesmo tempo tem uma empresa aberta, caso seja desligado do seu emprego, não receberá seguro-desemprego. Este é só um exemplo de decisão que a vida adulta nos obriga a tomar e que tem perdas e ganhos.

Realizar um plano B em paralelo ao plano A não é tarefa fácil; exige tempo, dedicação e paciência. Muitas vezes, você terá de trabalhar nos momentos que seriam de descanso. Em outras, será necessário priorizar um dos planos ou equilibrar o foco. Mas isso não significa que não valerá a pena.

Por isso, não tema escolher um plano B e se dedicar a ele. Na melhor das hipóteses, ele te proporcionará histórias para contar, retorno financeiro, habilidades desenvolvidas e um *networking* ativo.

SEGREDO REVELADO: ter um plano B é o melhor seguro para a sua carreira.

NÃO ACABA POR AQUI...

Por mais que eu quisesse finalizar este livro com um sonoro "Parabéns, você chegou lá!", jamais poderia fazer isso. Não porque você não mereça, mas porque a sua carreira está apenas começando – não importa o seu cargo, nível instrucional, aprendizado ou o sucesso já obtido...

A sua carreira está apenas começando sempre. Ainda há muito a aprender, desenvolver e aplicar. E acho inteligente pensar assim. Não, não estou fora da realidade nem sou do tipo que motiva só por motivar. Apenas sei que essa ideia de "chegar lá" é uma furada. Sempre encontraremos um novo lá para perseguir. Essa ideia é quase tão romântica quanto a do felizes-para-sempre das histórias infantis. E eu não me permitiria terminar assim um livro como este.

A proposta do livro – compartilhar segredos de carreira – é só a primeira camada da nossa experiência juntos. Para além disso, cada capítulo falou sobre pensar criticamente, desaprender e aprender novamente, olhar por outro ângulo, se questionar. Esse processo não pode parar, não deve parar; é quando paramos de nos questionar criticamente sobre nosso papel, sobre nosso conhecimento, sobre o lugar que ocupamos, ou seja, é quando presumimos que estamos prontos e que chegamos lá que nossa carreira começa a morrer.

Saber que nunca estaremos prontos pode ser uma angústia, mas pode ser também uma libertação. Toda vez que aceito um desafio, por mais que tenha medo e não faça ideia de como começar, repito a mim mesma: "Nunca pronta, mas sempre preparada". É essa a postura que, na minha visão, precisamos ter em nossa carreira – uma predisposição a nos lançar ao novo, ainda que não tenhamos garantias nem respostas, confiantes de que valerá a pena encarar os desafios, pois da jornada traremos ao menos algum aprendizado. Uma das frases mais batidas do mundo corporativo é: "Eu nunca perco, ou eu ganho ou eu aprendo". Clichê? Sim, mas também a mais pura verdade.

Sei que você já não é o mesmo desde que começou a ler este livro, e sei que não será o mesmo amanhã. Houve evolução, e haverá evolução – e é bonito encarar a vida profissional como uma jornada em que cada capítulo soma, ensina e nos faz avançar em algum aspecto. Por isso, pergunto a você:

- Quem você era quando começou a ler este livro?
- Quem você é neste momento?
- Quem você será amanhã?

É bom fazer essas calibragens de tempos em tempos, não é? Quantas coisas aprendemos e das quais nem nos damos conta por falta de momentos de reflexão. Estou bem orgulhosa do que você construiu até aqui, e isso eu posso afirmar sem medo de errar.

O próximo capítulo da sua jornada profissional você escreverá sem mim, mas não sem mais alguns conselhos – os melhores, prometo!

Daqui para frente, sua jornada segue com escolhas diárias. Não tenha medo de escolher, de decidir. Não existe escolha certa nem errada, existe a melhor para o momento, a melhor para você, a escolha possível com o seu nível de conhecimento.

Nenhuma escolha terá apenas bônus, sempre existirá um ônus – e não falo isso para te desanimar, mas para te preparar, pois a vida profissional é assim, queiramos ou não.

Você é diferente de mim, seus colegas são diferentes de você, seu chefe é diferente dos seus colegas. Todos somos diferentes, com habilidades e defeitos que se opõem e se complementam, e é desse monte de peças que ora se encaixam, ora se desencaixam que o mundo do trabalho é feito. O segredo está em saber ler o cenário e movimentar-se entre os encaixes e desencaixes da melhor forma possível para atingir os seus objetivos.

Não se compare ao outro, ao que o outro faz ou deixa de fazer, à vida que o outro tem. Esse jogo de comparação só causará frustração e infelicidade. Sempre existirá alguém mais rico, mais bonito, mais bem-sucedido que você, eu garanto. O ponto é que ninguém mais partiu do mesmo lugar que você, portanto é injusto comparar. A sua história é individual. O outro pode ser uma referência para você, mas nada além disso.

Por fim, um dos principais segredos da carreira é definir os próprios critérios de sucesso e felicidade. Vivemos reproduzindo histórias, narrativas, escolhas, sem nos questionar sobre o que realmente nos faz feliz. A gente corre com tanta pressa que nunca se questiona: "Estou indo na direção certa?".

Por fim, não um conselho, mas um pedido: se este livro tiver feito sentido para você e sua carreira, não deixe de presentear um amigo ou colega de trabalho com ele. Eu, como autora, e o mercado de trabalho, como beneficiário, agradecemos. Conhecimento, quando é bom, a gente repassa!

SEGREDOS REVELADOS

1 O seu tempo é o tempo certo. Nem ideal, nem perfeito: possível.

2 Se o interesse é seu, quem faz o movimento é você.

3 Nem todo problema que você vive no trabalho começa no trabalho. Entender a origem do problema o ajudará a resolvê-lo.

4 Esteja atento à natureza das relações. Pense criticamente sobre os discursos.

5 Entre o discurso e a prática, observe a prática.

6 Por vezes, a conversa que você evita é a que pode te fazer crescer.

7 O não é tão estratégico para a sua carreira quanto o sim.

8 Corra em direção aos feedbacks. Eles te farão crescer!

9 Espere uma gestão real, com erros e acertos, e extraia dela o melhor.

10 Nem sempre o melhor tecnicamente é aquele que cresce na empresa.

11 Não basta entregar, tem que cacarejar.

12 Saia com as portas abertas, você pode precisar voltar.

13 Ter um plano B é o melhor seguro para a sua carreira.

Este livro foi composto nas fontes Skolar, Schabo e Bebas
Neue Pro pela Editora Nacional em agosto de 2023.
Impressão e acabamento pela Gráfica Leograf.